Brekende golven

Gerda van Wageningen

Brekende golven

DE KERN BAARN

Tweede druk

Omslagontwerp: Mariska Cock
Zetwerk: Scriptura Westbroek
ISBN 90 325 0702 8
NUGI 340

1

De wind stond pal uit zee. Boven op het duin stond Elsie van Klaveren te genieten van de zon, die laag boven de horizon hing op deze heerlijke oktobernamiddag. De wind joeg haar rok omhoog tot onbehoorlijke hoogten, maar er was niemand anders te zien. Ze grinnikte opgewekt bij het vergeefse gevecht er fatsoenlijk uit te blijven zien. Haar blonde haren leken aan alle kanten uit haar hoofd getrokken te worden. De kille zeewind beet in haar roze gekleurde wangen.

Elsie's bruine ogen glommen van pure levenslust. Ze hield van dit onstuimige najaarsweer, van het scherpe licht dat nog versterkt werd door het water. Ze hield van de woeste golven, die met hun witte kuiven onstuimig op het stand afstormden. Een paar meeuwen scheerden boven haar hoofd en riepen elkaar luidruchtig toe dat er een lekker visje te verschalken was bij de vissersboot daarginds aan de horizon.

Hier kwam ze altijd weer tot rust. Ze was bevoorrecht te mogen wonen in het bijzondere Rietveld-huis daar in de duinen schuin achter haar. Uitkijken op zee konden ze vanuit het huis niet, maar ze hadden er wel zoveel grond omheen, dat ze vanuit haar tuin de zee kon zien. Op dat punt had Arend vorig jaar een royaal tuinhuis neer laten zetten. Daar zat Elsie graag. Ze hield van de zee, van de duinen, van de kop van Westenschouwen waar ze woonden. Arend van Klaveren werkte in Goes en was daar directeur van een firma in computerbenodigdheden. Het was hen, zoals men dat noemde, de afgelopen jaren naar den vleze gegaan. Elsie was twee jaar geleden gestopt met haar werk, ze was jarenlang doktersassistente geweest bij een arts in deze toeristenstreek, maar vooral 's zomers vroeg dat werk zoveel tijd, dat ze nauwelijks tijd had overgehouden voor andere dingen, zoals haar met hun gezondheid tobbende ouders, haar hobby astrologie en vooral natuurlijk voor haar dochter Sandra. Bij de gedachte aan het meisje glimlachte ze opgewekt. Nog een diepe ademteug en Elsie keerde zich om. Ze moest naar huis. Kijken of Sandra wakker was.

Gisteren was het meisje weer ongesteld geworden, een gebeurtenis waar ze altijd veel last van had, ze lag in bed met hoofdpijn en buikkrampen. Ze had haar een paracetamolletje en een kersenpittenkussen gegeven, dat ze warm had gemaakt in de magnetron. Sandra was in slaap gevallen en zelf had ze met gretigheid de buitenlucht opgezocht. Een half uurtje had ze stevig doorgewandeld aan het strand. Nu was ze weer thuis en genoot ze nog even van haar tuin. Veel bijzonders stond er niet in, dat was onmogelijk in de duinen, maar de tuin was ruim, met coniferen, een grote vijver met goudvissen erin en verschillende terrassen zodat ze altijd naar believen in de zon of juist in de schaduw kon zitten.

Kom, ze had lang genoeg getalmd. Sandra zou best een beker warme chocolademelk lusten, met een grote dot slagroom erop. Het meisje kon alles eten zonder ook maar een grammetje aan te komen. Bij haar lag dat helaas anders!

Voorzichtig keek ze een paar minuten later om de deur van Sandra's kamer. Het meisje staarde naar het plafond. Er lag een bittere trek om haar mond, die Elsie niet begreep. Haar ravenzwarte haren piekten slordig om haar heen. Ze mopperde soms, dat het meisje beter voor zichzelf moest zorgen. Ze was knap, haar dochter. Geboren in Colombia en op zesjarige leeftijd door Elsie en Arend naar Nederland gehaald na een kommervol leven in de arme sloppenwijken daarginds. Haar vader verdwenen en haar moeder gestorven. Keken die grote bruine ogen daarom zo triest? Soms vroeg ze aan Sandra, wat haar toch zo bedrukte, maar meer dan een nukkig schouderophalen kreeg ze nooit als antwoord.

'Ik ga chocolademelk maken,' liet ze opgewekt weten. 'Heb je daar trek in?'

'Ja mam.' Het antwoord klonk vlak. Elsie begreep het niet, misschien kwam het omdat haar dochter in de puberleeftijd zat. Sandra had al een tijdje last van sombere buien. Ach, meisjes van zestien, hoe was ze zelf niet geweest op die leeftijd!

'Zal ik het bij je brengen of kom je naar de kamer?' vroeg ze daarom nog steeds even opgewekt.

'Ik kom er wel uit. Het tabletje heeft best geholpen. Zeg eens, mam, waarom voel ik me elke maand zo akelig?'

'Dat weet ik niet. Bij sommige vrouwen is dat zo, bij anderen niet.'

'Jij hebt er nooit last van.'

'Ik behoor dan ook tot de gelukkigen. Misschien kun je nog eens met oom Bram praten over de pil? Daar zijn uiteindelijk veel meisjes en vrouwen mee geholpen bij dit soort klachten. Kom, het is lekker weer. Zullen we straks met de auto naar Zierikzee rijden, om winkels te kijken en iets lekkers te kopen voor bij de koffie vanavond?'

Nu Sandra was afgeleid van de gedachten die haar plaagden, lachte ze en werd ze ogenschijnlijk weer haar opgewekte zelf. Na haar vroegere leven waar ze zich nog het een en ander van herinnerde, had ze zich ontpopt tot een dankbaar kind, dat blij was met alles wat haar nieuwe leven haar bracht. Tot een jaar of twee geleden ongeveer, toen was ze veranderd. Toen waren de neerslachtige stemmingen begonnen, kon ze soms woedend over iets uitvallen, kon ze haar vader wel erg lelijk aankijken met die donkerbruine ogen van haar. Elsie meende, dat haar prille jeugdervaringen alsnog hun tol eisten toen Sandra in de pubertijd kwam en dacht er een enkele keer over om naar een psycholoog te gaan. Maar Arend was daar fel op tegen. Je moet geen patiënt maken van iemand die dat niet is, was zijn mening. Elsie wist niet goed, wat ze moest doen en had daarom nog niets gedaan. Ze voelde zich daar wel een beetje schuldig over. Als ze soms aan Sandra vroeg of ze wilde praten over wat haar dwarszat, werd het meisje nors en sloot ze zich af. Ook dat begreep Elsie niet.

Misschien moest ze het eens voorleggen aan de dokter bij wie ze altijd had gewerkt. Die kende haar goed. Die had haar teleurstelling meegemaakt, toen het duidelijk was geworden, dat er niet veel kans was dat zij en Arend kinderen van zichzelf zouden kunnen krijgen. Arend was verminderd vruchtbaar en zij had een verstopte eileider. Van een donor had hij niet willen horen, een adoptiefkind was het enige alternatief geweest in zijn ogen. Het was een moeilijke tijd geweest voor Elsie, want ze had moeder kunnen worden als hij met inseminatie had ingestemd. Bram was in die tijd niet alleen haar werkgever geweest, ze waren ook bevriend geraakt en zijn vrouw Gre was ronduit een schat. Ze hadden haar gesteund in die moeilijke tijd en ook daarna, toen ze naar Colombia waren gegaan om Sandra op te halen uit dat armetierige kindertehuis, waar ze terecht was gekomen nadat haar moeder was gestorven.

Negenendertig was ze nu en Elsie vond al met al dat ze niet mocht klagen. Niemand werd ouder zonder bittere dingen mee te maken, maar een mens werd nooit zwaarder belast dan dat hij kon dragen, had haar gelovige vader haar altijd geleerd. Dat hield ze zich voor bij elke tegenslag waarmee ze te kampen had gehad en die dag was ze ervan overtuigd dat ze dit standpunt de rest van haar leven niet meer los zou laten.

Ze zaten niet veel later lachend aan hun hete chocolademelk en alles was weer gewoon. Nadat Sandra een douche had genomen, reden ze naar het mooie stadje, dat nog zo rijk was aan oude panden, maar waar je zo gezellig kon winkelen. Het was het middelpunt van het hele eiland. Ze kochten slagroomgebakjes als troost voor de moeilijke dagen en een nieuwe spijkerbroek voor Sandra. Weer thuis was het aan de late kant om zelf nog eten te koken, dus besloot Elsie dat ze wat zou laten bezorgen. Dat was een van die dingen die zo plezierig waren, als je behoorlijk in de slappe was zat. Zulke dingen kon je gewoon doen zonder je af te vragen of bruin het wel kon trekken.

Arend kwam die avond laat thuis, maar zijn stemming was opgewekt. Sandra ging vroeg naar bed, opnieuw met het warme kersenpittenkussen. 'Ze is al een echte vrouw,' lachte Elsie trots en Arend fronste zijn wenkbrauwen alsof hij niets van dergelijke vrouwenzaken begreep.

Ze genoten van de avond. De sterren fonkelden en doordat het huis zoveel glas bevatte, konden ze daar gewoon vanuit hun luie stoel naar kijken. In de open haard brandde een aangenaam vuurtje. Er stonden kaarsen op tafel, ze draaiden muziek terwijl Arend nog wat papieren van de zaak doorkeek en zij achter de computer zat om een uitdraai te maken van een horoscoop.

Ze had een hobby waar de dorpelingen nogal argwanend tegenover stonden. Ze deed aan astrologie. Een drietal jaren had ze les gehad in het berekenen en interpreteren van horoscopen. Ze had daarna een goed computerprogramma aangeschaft dat haar het lastige rekenwerk uit handen nam en zelfs een bescheiden duiding gaf die ze gebruikte ter ondersteuning van de dingen die ze zelf uit een horoscoop haalde. Ooit was ze ermee begonnen uit ongeloof, maar al snel was ze verrast, dat er zoveel over iemands karakter te halen viel uit iemands geboortetijd en geboorteplaats. Langzamerhand had haar ongeloof plaatsgemaakt voor grote interesse, voor het besef dat er meer was dan een materiële wereld, waarin het alleen maar ging om mooie huizen en grote auto's, de wereld van Arend die ook zo lang de hare was geweest. Het geloof waar ze mee was opgevoed, was jarenlang een schim uit een ver verleden geweest, maar de laatste tijd had ze steeds duidelijker beseft dat het allemaal niet zo eenvoudig lag.

Haar grootste hobby was, om van vrienden en bekenden een horoscoop te maken. De mensen deden net, alsof ze haar een beetje vreemd vonden en tegelijkertijd waren ze maar wat nieuwsgierig.

Het was al bij elven toen ze naar bed gingen, waar Arend haar onmiddellijk in zijn armen trok. Na deze heerlijke dag was ze er zelf ook voor in de stemming. Een half uur later viel Elsie voldaan in slaap.

Wat was dat voor geluid?

Slaperig tilde Elsie haar hoofd op. Ja, nu hoorde ze het weer. Er drukte iemand langdurig op de bel. Een snelle blik op haar wekker leerde haar dat het vijf uur was. Ze strekte haar hand uit om haar snurkende echtgenoot wakker te schudden. 'Arend, de bel. Wie kan dat nu zijn? Misschien is er iets gebeurd met onze ouders of...'

Opnieuw drong het snerpende geluid door het huis. Arend kreunde, geeuwde en wilde zich omdraaien. Geërgerd en met een bonkend hart gooide Elsie het dekbed van zich af. In het voorbijgaan greep ze naar haar ochtendjas. Ze knoopte net de ceintuur vast, toen ze de deur opendeed.

Er ging een schok door haar heen. Met grote angstogen keek ze naar de man en vrouw op de stoep. Politieagenten. Achter hen stonden er nog twee.

'Is er iets ergs gebeurd?' vroeg ze klappertandend. Nog nooit eerder in haar leven had de politie bij haar voor de deur gestaan en zeker niet op zo'n onmogelijk tijdstip.

'Bent u mevrouw Van Klaveren?'

Ze knikte, even niet in staat ook maar een woord uit te brengen.

'Is uw man thuis?'
'Ja, natuurlijk.'
'Mogen wij even binnenkomen, mevrouw?'
'Is er een ongeluk gebeurd?'
'Nee mevrouw, maar we zouden graag even met uw man spreken.'
'Ik zal hem roepen.'
Meteen liepen twee andere agenten langs haar heen naar binnen. 'Dat is niet nodig. We vinden hem zelf wel.'
'De slaapkamer is daar,' wist ze nog verbouwereerd uit te brengen.
'Dank u,' mompelde de vrouwelijke agent en verbeeldde ze het zich, of keek deze haar meewarig aan? In ieder geval lag er iets in de ogen van de agente, waardoor het Elsie benauwd om het hart werd. Er was geen ongeluk gebeurd, maar ze besefte terdege dat er iets goed mis was. Haar mond werd droog. Sandra stond in haar korte nachthemdje van t-shirtstof op de trap. 'Wat is er aan de hand, mam?'
Er klonken stemmen uit de slaapkamer, geluiden die ze niet kon thuisbrengen. Elsie wilde gaan kijken wat daar gebeurde, maar het was opnieuw de vrouwelijke agente die haar met een gebaar tegenhield. 'Blijft u maar liever hier.'
'Wat is er toch?' smeekte ze.
De ander zuchtte licht. 'Uw man wordt gearresteerd. Er is een aanklacht tegen hem ingediend.'
'Tegen Arend? Maar waarvoor?'
'Aanranding, mevrouw. Misbruik van twee jonge meisjes.'
Het werd haar even zwart voor de ogen, maar toch was ze genoeg bij haar positieven om tot zich door te laten dringen dat Sandra een kreet uitte en dat de agente zich over haar dochter ontfermde. Elsie ging zitten, eenvoudig omdat haar benen haar niet langer wilden dragen. Haar hele lichaam beefde. Ze zag in een soort roes hoe de agente Sandra tegenhield. 'Als hij bij jou ook

dingen heeft gedaan, lieve kind, en ik denk dat dat heel goed zo zou kunnen zijn, dan moet je straks maar even met je moeder langskomen om een verklaring af te leggen.'

De blik in de ogen van het meisje deed Elsie's hart bijna stilstaan. Toen ging de deur van de slaapkamer open. Arend was gekleed in een spijkerbroek en een trui. Zijn handen waren geboeid. Een van de agenten had hem stevig bij de arm, de ander kwam achter hen aan. 'Uw man moet mee voor verhoor, mevrouw.'

'Wat ze ook zeggen, het is gelogen,' mompelde Arend kwaad. Toen viel zijn blik op Sandra. 'Denk erom,' siste hij, voor hij door de twee agenten naar de deur werd geduwd. Sandra begon te huilen. Nauwelijks drie minuten later was het stil in huis. Elsie verzamelde haar laatste krachten en ging Sandra achterna die naar haar kamer was gevlucht.

'Ga weg, mam, ik wil er niets over zeggen.'

'Ik heb er geen idee van gehad,' antwoordde Elsie bibberend en terwijl ze dat zei, voelde ze voor het eerst een enorm schuldgevoel. Er had iets afschuwelijks onder haar dak kunnen gebeuren, terwijl ze er niets van gemerkt had.

Ze moest gaan zitten. Ze wist dat dit niet het goede moment was om wat dan ook te zeggen, maar ze kon niet weglopen en haar dochter net zo ontredderd achterlaten als ze zichzelf voelde. Er liepen ineens tranen over haar wangen waar ze zichzelf niet eens van bewust was.

'Sandra,' hakkelde ze, 'ik besef dat er iets gebeurd moet zijn, lieve kind. Ik wil je alleen maar beschermen. Maar dan moet ik meer weten. Daarna gaan we samen naar het bureau. Je kunt er van op aan dat er nooit meer iets zal gebeuren dat je niet wilt en ik beloof je met mijn hand op mijn hart dat ik je zal beschermen tegen de dreigementen van je vader.' Daarna zuchtte ze nogmaals tegen de rug van Sandra, die demonstratief naar haar was toegedraaid.

Ze wankelde terug naar de kamer, ging even zitten tot de zwarte mist voor haar ogen weer optrok, en kwam rusteloos weer overeind.

Ze schonk een glas cognac in en sloeg dat in één teug achterover. Ze gruwde van het goedje dat ze anders nooit dronk, maar het trok een warm spoor door haar slokdarm en bracht haar terug bij haar positieven. Daarna begon ze jachtig de slaapkamer op te ruimen. Ze haalde het bed af, waar ze nog maar een uur geleden met Arend in gelegen had, waar ze nog maar een paar uur geleden had genoten toen ze de liefde met hem had bedreven. Nu voelde ze zich ineens oneindig vies.

Ze stond langdurig onder de douche, maar het besmeurde gevoel bleef. Ze poetste en maakte de slaapkamer schoon als een bezetene, maar bleef zich beduimeld voelen. Ze huilde zo nu en dan en twee uur later zat ze huiverend van de zenuwen achter een kop sterke koffie en een broodje. Half acht. Was het werkelijk pas half acht?

Ze ging even bij Sandra kijken, maar die was verdwenen zonder dat ze er iets van gemerkt had. Was ze naar school? Was ze ergens anders heen? Moest ze haar gaan zoeken? Als ze maar wist waar! Een enorme huilbui kwam los. Ze ging op de bank zitten en snikte het uit, maar het bracht geen opluchting. Opnieuw beefde ze over haar hele lichaam. In een opwelling belde ze Bram, die meteen beloofde te komen.

Hoewel de dokter op dat moment met zijn spreekuur zou moeten beginnen, nam hij alle tijd om Elsie's ontredderde woorden aan te horen.Gaandeweg gingen zijn ogen steeds ernstiger staan. 'Je weet het nummer van mijn mobiele telefoon, vandaag kun je me op elk moment bellen, Elsie. Nu geef ik je eerst een injectie om te kunnen slapen.'

'Ik kan niet slapen. Ik wil het ook niet. Hoe kan ik nu in dat bed gaan liggen terwijl... terwijl...'

'Er is een aanklacht ingediend en je man wordt verhoord. Er is nog niets bewezen. Het kan een vergissing zijn.'

'Nee, want Sandra...' Ze kreeg de woorden niet eens over haar lippen.

'Je weet niet wat er precies is gebeurd. Niemand mag veroordeeld worden, zonder dat precies bekend is wat er is gebeurd, Elsie. Je bent overstuur. Dat is logisch. Waarschijnlijk maak je alles veel erger dan het is.'

'Ik heb nooit, nooit ook maar íéts gemerkt. Ik was tevreden met ons seksleven. Ik dacht dat hij dat ook was.' Ze huilde opnieuw, maar de injectie begon zijn werk te doen. Ze voelde een onnatuurlijke loomheid door zich heen trekken, die weldadig aandeed. Ze beefde niet langer. Het huilen hield op. Ze snoot omstandig haar neus. De dokter knikte en wierp een blik op zijn horloge. 'Na het spreekuur kom ik nog even bij je kijken. Het is beter als je nu geen auto rijdt. Probeer maar een paar uur te slapen.'

'Ik moet Sandra zoeken, ik...'

'Ze komt wel terug. Waarschijnlijk wilde ze even alles op een rij zetten. Als je iets van haar hoort, zeg haar dan dat ze naar mij toekomt. Ze kan met Gre praten. Je weet dat ze Gre graag mag.'

'Zou ze misschien iets tegen Gre hebben gezegd, al eerder?' vroeg ze zich hardop af.

'Als dat zo was, had ik het geweten en hadden we geprobeerd haar aan het praten te krijgen, Elsie. Nee, Sandra heeft haar mond gehouden. Ze zal nu overstuur zijn, maar als er iets van waar is, ook opgelucht omdat ze niet langer een verschrikkelijk geheim met zich mee hoeft te dragen. Toe, kom een beetje tot jezelf, Je zult je krachten vandaag nog nodig hebben.'

Dat was een wijze raad. Onder invloed van de injectie was Elsie op de bank in slaap gevallen. Pas bij twaalven werd ze weer wakker. Arend was er nog niet. Nog suf in haar hoofd strompelde ze de trap op. Sandra lag in bed.

Ze voelde zich immens opgelucht dat haar dochter weer thuis was. Ook het meisje sliep, haar ogen waren opgezet en op haar wangen waren sporen te zien van opdroogde tranen. Er kroop een brok in Elsie's keel. Ze ging naar beneden om koffie te zetten en ze smeerde met lichte tegenzin een boterham. Honger had ze niet, maar ze moest toch iets eten om op krachten te blijven.

Nog voor ze haar eerste kop koffie leeg had, ging de telefoon. Het was een krant, of het waar was dat... Alsof ze zich aan de telefoon brandde, smeet ze het ding weer neer. Binnen drie minuten ging het apparaat opnieuw over. Ze nam niet op, het antwoordapparaat stond aan.

Ze at met lange tanden haar boterham op. Toen ging de deurbel. Er ging een golf van angst door haar heen, maar bijna meteen herkende ze de wagen van Bram. Hij scheen tevreden te zijn, praatte even met haar, vertelde dat Sandra bij hen was geweest. Hij had haar een tabletje gegeven en had nog een paar van die tabletten bij zich. Ze konden er beiden van nemen als ze daar behoefte aan hadden. Het was een onschuldig licht kalmerend middel. Zolang je die tabletten niet langer dan een week of twee achter elkaar slikte, konden ze veel goed doen in moeilijke situaties. Hij had Francine gewaarschuwd. Ze hoefde maar te bellen en haar beste vriendin zou langskomen. Had ze al iets van Arend gehoord?

Ze schudde het hoofd. Toen Bram weer weg was, schonk ze nogmaals een kop koffie in. Daarna zat ze een poos op de bank voor zich uit te staren. De telefoon ging niet langer over. De journalist had het kennelijk opgegeven. Ze greep de telefoon om Francine te bellen. 'Bram heeft me ingelicht,' zei haar vriendin, 'maar hij zei ook dat je op de injectie in slaap was gevallen. Zal ik komen?'

'O ja, alsjeblieft. Ik weet niet meer waar ik het moet zoeken.'

'Tot zo dan.'

In een impuls belde Elsie het politiebureau. Kon men al iets zeggen over haar man? Het enige antwoord dat ze kreeg was dat hij nog steeds verhoord werd. Ze hing weer op.

Ze voelde zich in de war. Ze wilde dit allemaal niet, ze wilde ervoor weglopen, haar ogen ervoor sluiten, maar dat hielp niet. Vanmorgen vroeg was haar leven overhoop gegooid en nooit, nooit zou het meer worden zoals het was geweest. Opnieuw kwamen er tranen, maar deze keer brachten ze opluchting.

Eindelijk begon ze zichzelf weer terug te vinden. Ze belde haar ouders en haar schoonouders op om te vertellen dat Arend op het politiebureau zat vanwege een aanklacht, maar dat ze niet moesten schrikken als ze erop aangesproken werden en vooral ook met niemand van de pers moesten praten als er nieuwsgierige vragen werden gesteld. Daarna wachtte ze op de komst van Francine Simonisse.

Francine was een begenadigd kunstenares, ze schilderde en maakte prachtige beeldhouwwerken in brons. Ze behoorde tot de weinige kunstenaars die een goed inkomen verdienden met hun werk. De toeristen wisten de weg naar haar galerie in haar eigen woonboerderij altijd moeiteloos te vinden. Wat ze maakte, werd bijna altijd snel verkocht. Toch sloot Francine haar winkeltje die dag meteen nadat ze door de dokter op de hoogte was gesteld.

'Je had me vanmorgen vroeg meteen moeten bellen,' mompelde ze tegen Elsie, terwijl ze al snel aan het moederen sloeg. Ze maakte een broodje en thee voor Sandra, gaf het meisje nog een tabletje en zei dat ze alleen maar beneden hoefde te komen als ze dat zelf wilde, maar dat het verstandig was om met haar moeder te praten vóór haar vader weer thuiskwam.

'Komt die dan terug?' had ze met grote ogen gevraagd.

'Dat weten we niet,' had Francine geantwoord, 'maar als je dat liever wilt, mag je wel een paar dagen bij mij komen logeren. Dat mag je moeder ook, als ze dat wil.'

Francine's aanwezigheid deed Elsie enorm goed. Ze slikte gehoorzaam een tabletje door en accepteerde een kop warme soep, die haar goeddeed. Het was Francine, die daarna opnieuw het politiebureau belde, om te informeren of de heer Van Klaveren vandaag nog thuis zou komen. Maar niemand wist het.

Het was inmiddels bij tweeën en ook Sandra had een kop soep gekregen, toen ze ineens verlegen de trap af was gekomen. Impulsief nam Elsie haar in de armen. Toen kwamen er opnieuw een paar tranen.

Francine trok zich in de keuken terug. Moeder en dochter keken elkaar onwennig en beschroomd aan. Er moest gepraat worden, maar nooit eerder was dat zo moeilijk geweest. Elsie besefte dat ze de sterkste moest zijn, Sandra was het meest kwetsbaar. Ze bad snel en stil om kracht en kreeg die ook. Haar grote liefde voor haar dochter hielp haar door de moeilijkste momenten heen.

Het komende uur hoorde ze de hele afschuwelijke waarheid. De laatste twee jaar moesten voor haar dochter een hel zijn geweest. Zeker twee keer per maand, meestal als zij naar de stad was om haar astrologielessen te volgen, had Arend het meisje gedwongen tot betasten en tot orale seks. Ze had zijn geslachtsdeel in haar mond moeten nemen. Meestal had hij overal aan haar gezeten, met het dreigement dat niemand haar zou geloven als ze erover praatte en dat hij ervoor zou zorgen dat ze teruggestuurd zou worden naar de sloppenwijken van Colombia waar ze vandaan kwam, als er ooit iets aan het licht zou komen.

Ze hadden in elkaars armen gehuild, moeder en dochter, de een bang en de ander tot in het diepst van haar wezen geschokt. Nu was Elsie bezig om koffie te zetten, terwijl Francine aan de keukentafel zat en stilletjes naar haar luisterde, terwijl Sandra een lange, warme douche nam. Voor het eerst besefte Elsie dat ze zich in een bepaald opzicht opgelucht voelde. Wat nu aan het licht gekomen was, zou haar hele leven veranderen, haar toekomst op losse schroeven zetten en vast en zeker ging ze samen met Sandra een ongehoord moeilijke tijd tegemoet, maar alles was beter dan dat de dingen nog langer verborgen waren gebleven en de vreselijke toestanden voortgang hadden gevonden, terwijl zij zich van niets bewust was geweest.

Dat ze nooit iets had gemerkt, maakte voor de zoveelste keer die dag tranen in haar los.

Het was ondertussen half zeven geworden. Francine kookte een lichte warme maaltijd. Bram belde om te vragen hoe het ging en ze vertelde het hem kort. Hij was niet ontevreden. Om haar hoofd knelde een strakke band van pijn, maar dat kwam natuurlijk door de zenuwen. Zou ze nog een tabletje nemen? Bram zei, dat ze het maar moest doen en dat ze moest proberen te slapen. Impulsief zei ze, dat Sandra en zij bij Francine Simonisse gingen slapen, omdat ze niet wilde dat Arend ineens in de slaapkamer voor haar zou staan. Al die onzekerheid maakte haar bang. Op het politiebureau werd ze niets wijzer en het stond haar tegen om er zelf naar toe te gaan. Ze moest om Sandra denken. Haar dochter was op dat moment veel belangrijker dan haar man. Aan de toekomst durfde ze al helemaal niet te denken, zelfs niet aan morgen. Ze moest maar leven bij het uur, daar had ze op het moment haar handen meer dan vol aan.

Bij Francine vonden ze rust, moeder en dochter. Ze zaten lang in de serre, waar Francine kaarsen brandde en waar zachte klassieke muziek op de achtergrond klonk. Gepraat werd er niet of nauwelijks. Toen Sandra uiteindelijk slaperig werd, vroeg ze of ze de volgende dag iets leuks konden gaan doen. 'Vanzelfsprekend, meisje,' knikte Elsie, voor ze haar dochter met een warme knuffel welterusten wenste.

'Ze is afstandelijk als ik haar aanhaal. Ik dacht maandenlang dat het kwam omdat ze ouder werd, maar nu begrijp ik dat er veel meer achter stak,' verzuchtte Elsie toen ze een poosje later samen met Francine in de vlammetjes van de kaarsen staarde. 'Wat kan een mens zich gemakkelijk vergissen in het leven.'

'Met sommige dingen houd je nu eenmaal geen rekening en dat is alleen maar gezond.'

'Ik heb nooit iets aan Arend gemerkt.' Opnieuw schoot Elsie vol.

'Ook jullie zullen erover moeten praten, vroeger of later. Hoe hij ertoe is gekomen.'

'Aanranding, Francine! Wat heeft hij allemaal met die arme meisjes gedaan als hij zelfs met Sandra zulke ongehoorde dingen deed! Stel dat dc aanklacht waar is, en ik wéét gewoon dat het zo is, dat hij dan veroordeeld wordt, en in de gevangenis komt? De zaak zal naar de knoppen gaan en ik... ik... het zal wel tot een echtscheiding komen, denk je niet?'

Zover was ze nog niet geweest met haar gedachten. Ze wierp een vertwijfelde blik op haar vriendin. 'Nu niet,' troostte Francine. 'Morgen is er weer een dag, meisje. Nu moet je proberen wat te slapen. Laat de deur maar open staan, ik lig in de kamer ernaast. Je kunt me roepen wanneer je wilt.'

2

Nog nooit had een nacht zo eindeloos lang geleken. Elsie staarde naar het plafond, woelde van de ene zij op de andere en steeds opnieuw spookten de gedachten ongebreideld door haar hoofd. Kon een mens overdag nog afleiding vinden door dingen te gaan doen, als je 's nachts in bed lag, kwamen de gedachten alsnog.

Aanranding, misschien zelfs verkrachting. Had Arend werkelijk een jong meisje gedwongen tot zoiets walgelijks? Ze kon het zich bijna niet voorstellen. Ze dacht, dat hij net als zij tevreden was met wat ze samen hadden. Kon je werkelijk zoveel jaren met een man getrouwd zijn en hem dan toch nog zo slecht kennen?

Daarna kwamen de onvermijdelijke gedachten die vrouwen in zo'n situatie maar al te vaak kwelden. Had ze soms zelf schuld? Was ze, zelfs zonder het te weten, ernstig tekortgeschoten? Had ze hem niet gegeven waar hij behoefte aan had? Het zweet brak haar uit. Stilletjes sloop ze naar de keuken, om een kop warme instantsoep te maken.

Bij het brandende licht herinnerde ze zich het weinige dat ze ooit over dergelijke misdrijven had gelezen. Een seksueel misdrijf was in de eerste plaats een geweldsmisdrijf. Maar waarom zou een man als Arend geweld nodig hebben? Hij had toch alles? Vrouw, kind, een prachtig huis, het ging hen goed. Hij had een florerend bedrijf... 0, de zaak. Hoe moest dat nu verder? Zou de zaak eraan kapotgaan als de directeur veroordeeld werd voor zo'n walgelijke zaak? Of draafde ze nu door en moest ze haar man niet veroordelen voor er iets bewezen was? Maar dan was daar opnieuw het ontredderde gezicht van Sandra, dat voor haar geestesoog verscheen. Nee, hier was wel degelijk iets aan de hand, Arend had zich zonder enige twijfel schuldig gemaakt aan zaken die het daglicht niet konden verdragen. O, ze werd gek van al die gedachten!

Ze sloop terug naar de slaapkamer, schoot in haar kleren en wilde naar buiten gaan om te wandelen of om wat dan ook te doen, om maar te kunnen ontsnappen aan de hel van haar rondspokende gedachten.

'Elsie?' klonk de zachte stem van Francine.

'Blijf jij maar lekker liggen. Ik ga even een blokje om.'

'Om drie uur 's nachts?'

'Ja.' Er klonk niettemin aarzeling in haar stem. Even later stond Francine bij Elsie in de keuken. 'Ga even buiten door de tuin lopen, als je het binnen niet meer uithoudt, maar ga niet het bos in.'

'Stel je voor dat daar net zo'n kerel rondloopt als Arend, die...' Haar stem brak.

'Toe. Even de tuin in en ik maak ondertussen warme melk met honing. Daarna ga jij in bed liggen en ik kom bij je zitten tot je slaapt.'

'Ik heb nog geen oog dichtgedaan.'

'Dat kan ik best begrijpen.'

'Zou Sandra slapen?'

'Vast. Jouw dochter heeft hulp nodig, Elsie. Er zijn dingen gebeurd...'

'Het is te veel, Francine, veel te veel. Ik voel me zo ontredderd. Wat moet ik doen? Hoe kan ik Sandra helpen als ik niet eens raad weet met mezelf? Wat moet ik doen als de verhoren afgelopen zijn en Arend thuiskomt? Hij zal heus niet vast blijven zitten. Hoe moet ik de familie van die meisjes onder ogen komen? Ze wonen in de buurt, denk ik. Een scheiding is natuurlijk onvermijdelijk, alleen al om Sandra, maar moet ik nu hals over kop uit ons huis vertrekken? Moet ik toch eerst naar

Arend luisteren? Wat er ook waar is van die aangifte, vast staat dat hij met Sandra dingen heeft gedaan die het daglicht niet kunnen verdragen. O Francine, ik wist dat hij orale seks fijn vond, maar dat hij een kind... ons kind...' Ze snikte het uit. Francine liet haar, maakte zwijgend melk warm, troostte Sandra. Het meisje was eveneens huilend in de deuropening verschenen, nadat ze na een paar onrustige dromen wakker was geworden van de geluiden in het huis dat niet hun eigen huis was. Ze kroop bij Elsie in bed toen ze besefte dat haar moeder het even moeilijk had als zijzelf. 'Vanaf nu zijn we samen, mam,' klonk haar bibberende stemmetje toen Elsie weer een beetje was bedaard.

'Je hoeft niet meer bang te zijn, lieverd. Ik wilde alleen dat je het me meteen na de eerste keer had verteld. Ik wist het niet. Ik had er echt geen idee van. Ik had je er zo graag tegen willen beschermen.'

Francine bracht de melk voor hen allebei en trok zich toen bescheiden terug. De deur bleef op een kier staan, zodat ze het kon horen als ze nodig was, maar wat moeder en dochter nu bespraken, was niet voor haar oren bestemd.

Sandra troostte Elsie en Elsie troostte Sandra. Het moeilijke gesprek duurde tot het ochtendgloren.

Het was vreemd om thuis te komen in hun eigen huis. Arend was er nog niet. Francine was meegekomen en belde het politiebureau. Wanneer de heer Van Klaveren naar huis kon, was nog niet bekend. Ja, ze zouden gewaarschuwd worden als het zover was.

Bram belde kort daarop. 'Is alles in orde, Elsie? Ik heb je al eerder gebeld. Toen was je er niet.'

'Ik heb bij Francine geslapen. Het gaat wel, Bram. Ik ben van streek, maar dat kan niet anders.'

Bram beloofde vroeg in de middag langs te komen voor hij aan zijn ronde begon, hij zou ook contact opnemen met een goede psycholoog, die al eerder een geval had behandeld als dat van Sandra. Ze besefte toch wel, dat haar dochter hulp nodig had en zijzelf misschien ook wel?

'Kan ik nog iets voor je doen?' informeerde Francine.

'Jij hebt je werk. Je galerie moet straks om twee uur weer open. Ga maar,' zei Elsie. 'Alleen... moet jij misschien nog boodschappen doen, vandaag? Misschien laf, maar ik durf niet naar de supermarkt... niet vandaag, begrijp je? En Sandra wil ik het onder geen voorwaarde vragen.'

'Zeg maar wat je nodig hebt. Ik ga meteen, ik heb zelf ook een paar dingen nodig. Beloof me, dat je belt als ik iets voor je kan doen. Als je me nodig hebt, sluit ik mijn winkeltje meteen.'

'Je hebt al zoveel voor me gedaan.'

'Onzin. Mocht je vannacht liever weer bij mij logeren, schroom dan niet te komen. Ik heb een reservesleutel in mijn portemonnee. Die laat ik hier. Dan kun je erin, alle tijden van de dag of de nacht.'

'Je bent een bovenste beste.'

'Je bent mijn vriendin.' Dat verklaarde voor haar alles. Francine was ook niet door het leven verwend. Ze was op latere leeftijd getrouwd, maar al na een jaar of vijf was haar man er met zijn veel jongere secretaresse vandoor gegaan. Ze had succes met haar schilderijen en beeldhouwwerken, maar ze had ook een zwakke gezondheid en moest zware medicijnen gebruiken voor de herhaaldelijk optredende astma-aanvallen. Die medicijnen tastten haar botten aan. Hoewel ze nog maar net in de veertig was, had ze last van botontkalking. Daardoor had ze vaak pijn bij het werken. Maar Francine had een ijzersterke geest en een zonnige kijk op het leven. Die dingen vond Elsie zo aantrekkelijk in de kleine vrouw met de donkerbruine ogen. Francine was een zuidelijk type, net als haar Franse moeder die in de Languedoc woonde. Ze kusten elkaar op de wang bij het afscheid. 'Vergeet niet dat ik er voor je ben. Denk eens aan al die keren dat jij voor me klaarstond, toen ik alleen kwam te staan. En wat heb jij geen karrenvrachten boodschappen voor mij meegenomen, alle keren dat ik benauwd was,' zei Francine.

Even later zwaaide Elsie haar na. Daarna liep ze naar het tuinhuis vanwaar ze over zee kon uitkijken. Was het werkelijk nog maar twee dagen geleden dat ze hier zo had staan genieten en zich zo gelukkig had geprezen met haar leven?

Een diepe zucht ontspande haar een beetje. Kom, ze moest haar laatste krachten uit haar tenen zien te halen. Aan zichzelf kwam ze later nog wel toe. Nu moest ze zorgen dat ze er voor Sandra was.

Ze voelde zich leeg, eigenlijk een stuk beroerder dan de vorige dag. Zou ze opnieuw gaan schoonmaken? Nee, ze ging pakken. Een koffer voor haarzelf en een voor Sandra. Het meisje zei dat ze aan het strand wilde gaan lopen. 'Alleen?' vroeg Elsie een beetje ongerust. 'Ik wil best met je meegaan, hoor.'

'Ik wil graag even alleen zijn, je hoeft je over mij niet ongerust te maken. Ik heb het misschien gemakkelijker dan jij, mam. Voor mij is er een last van mijn schouders gevallen. Ik hoef niet langer bang te zijn voor paps voetstappen op de trap en wat daarop zou volgen, begrijp je?' klonk het akelig volwassen voor een zestienjarig meisje. 'Maar mam, als ik terug ben, kunnen we er dan over praten waar ik naartoe kan? Ik wil niet thuis zijn als hij terugkomt. Ik wil nooit meer...' Haar woorden eindigden toch weer in een snik.

'Inderdaad, lieve kind, dat zal nooit meer gebeuren. Als hij thuiskomt, ga ik met je mee. Natuurlijk zal ik met hem moeten praten over wat er is gebeurd, maar nooit meer zullen we als gezin onder één dak wonen. Dat staat vast.'

'Dank je, mam.'

Sandra vertrok en Elsie schrok van haar grauwe gezicht in de spiegel, toen ze in de slaapkamer kwam om de koffers te gaan inpakken. Arend kwam nog lang niet thuis en Sandra was ook niet meteen terug. Ze moest eerst maar eens zorgen dat ze er weer toonbaar uitzag. Dat hielp alle vrouwen die hun zelfvertrouwen waren kwijtgeraakt en het terug wilden vinden. Ze liet het bad vollopen en gooide er een royale scheut van haar duurste badolie in. Op haar gezicht deed ze een weldadig crèmemasker. Na een paar minuten voelde ze een heerlijke loomheid door zich heen trekken.

Een kwartiertje later droogde ze zich af en keek ze keurend in de kast. Nee, vandaag geen spijkerbroek met een eenvoudig t-shirt. Ze trok een gemakkelijk zittend jersey pakje aan, dat peperduur was geweest. Ze maakte zich op en toen ze even later in de spiegel keek zag ze er stukken beter uit. Daardoor gesterkt pakte ze een koffer in. Boven in Sandra's kamer deed ze hetzelfde en tot haar verrassing had ze daarna trek gekregen. In de keuken maakte ze een tosti met kaas en ham. Sandra kwam weer thuis en het was te zien dat ze had lopen huilen. Warm trok Elsie het meisje tegen zich aan. 'We redden het wel, jij en ik,' mompelde ze. 'Hoe alles nu ook zal lopen, jij en ik beginnen een nieuw leven.'

'Waar moeten we gaan wonen, mam?'

'We zullen eens informeren naar een huurwoning en ik ga proberen werk te vinden.'

'Weer bij dokter Bram en tante Gre?'

'Die hebben geen assistente nodig, op dit moment. Het maakt me niet uit wat ik moet doen, als ik maar zelfstandig ben.'

'Jij wilt ook niets meer van hem weten, hè?' Weer was er die vroegwijze blik in Sandra's ogen.

'Ik weet het niet meer. Eerst moet alles een beetje betijen. Dan pas kan ik erachter komen wat ik precies voel, maar mijn liefde voor hem is doodgetrapt en dat doet pijn. Nee, ik zal nooit meer met je vader samenwonen, meisje. Daar hoef je niet bang voor te zijn. Ik kies voor jou.'

'Gaan we weer naar tante Francine?'
'Voor een nachtje, had ik gedacht. Daarna lijkt het me het beste dat we een poosje in een hotel gaan.'
'Alles zit vol. Het is augustus!'
'We zien wel. Morgen moet ik echt op zoek naar een advocaat. Dat lijkt me verstandig in onze situatie. Ik heb advies nodig, ook over papa. Ik wil weten hoe het nu verder gaat na zo'n aanklacht, hoe lang het duurt voor er een proces komt. Allemaal dingen waar we nooit mee te maken hebben gehad en waar ik goedbeschouwd niets van weet.'
'Vraag oom Bram om advies. Die weet wel waar je een goede advocaat kunt vinden, mam.'
Ze knikte en zuchtte licht. De bel ging. Het was de dokter. 'Je ziet er een stuk beter uit,' stelde die tevreden vast terwijl hij haar volgde naar de kamer. 'Helpen de pillen?'
Ze glimlachte. 'Een lang en warm bad heeft me meer goed gedaan, oude pillendraaier.'
'Ha, je begint weer een beetje tot jezelf te komen.'
'Ik hou me groot, zoals dat heet. Bram, om mezelf maak ik me niet zoveel zorgen. Goed, ik heb een enorme schok te verwerken gekregen en de komende maanden zal mijn leven totaal op zijn kop gezet worden. Ik wil scheiden en ik moet verhuizen, ik zal moeten zorgen voor een eigen inkomen en ik moet voor alles Sandra steunen. Ik móét me wel oprichten en verder gaan, de problemen onder ogen zien.'
'Daar is niets op tegen, zolang je je eigen gevoelens maar niet onderdrukt. De schok zal nog een lange nawerking hebben, Elsie.'
'Dat ben ik me goed bewust. Er zal nog genoeg verdriet komen, omdat ik niet heb beseft wat er allemaal in Arends leven speelde, omdat ik mijn dochter in de steek liet op de momenten dat ze me het hardste nodig had. Dat laatste vooral, Bram.'
'Wees niet te hard voor jezelf, meisje. In tegenstelling

tot wat de meeste mensen denken, zijn er heel veel moeders die van niets weten als er incest plaatsvindt onder hun dak.'

'Incest...' Het was voor het eerst dat ze het woord uitsprak. 'Het is zo'n afschuwelijk woord.'

'Dat is het altijd, voor wie er mee te maken hebben. Het heeft jouw leven ondersteboven gegooid, maar Sandra's leven zal er misschien wel nooit meer los van komen. Ik ben zo vrij geweest vast contact op te nemen met de psycholoog. Ze kan aan het einde van de middag langskomen, als Sandra dat wil.'

'Ik heb er geen idee van. Misschien is het nog veel te vroeg.'

'Ik zal er met haar over praten. Gre wil haar brengen. Dat is gemakkelijker voor allemaal. Als jij mee moet, voelt Sandra zich daar waarschijnlijk ongemakkelijk bij, maar denk erom, als je zelf professionele hulp nodig hebt, kun je er ook terecht.'

'Is het in Zierikzee?'

Hij knikte en stond weer op.

'Ik probeer daar een huurhuis te krijgen, Bram. Ik wil hier niet langer wonen. De hele tijd ben ik bang dat Arend ineens voor onze neus staat. Vannacht gaan we weer naar Francine en daarna probeer ik een hotelletje te krijgen, ondanks het toeristenseizoen.'

'Goed dan, maar wil niet te veel ineens, Elsie.'

Toen Bram boven was om met Sandra te praten, zat ze in een stoel na te denken over alle plannen die zo spontaan in haar opgekomen waren. Ze keek om zich heen. Kon het zo zijn, dat dit huis niet meer het hare was, zomaar, van het ene op het andere moment? Er stopte een auto op de oprit. Arend? Ze voelde een golf van angst, vermande zich toen, maar het gevoel van onrust bleef.

Het was een onbekende man. Van de krant, of hij haar een paar vragen mocht stellen en...

Verstijfd hoorde ze hem aan, tot Bram een paar passen langs haar heen deed, kortaf zei dat de man zich maar bij de voorlichter van de politie moest vervoegen als hij informatie wilde en hij knalde de deur weer dicht.

'Inderdaad,' verzuchtte hij. 'Het is beter dat jullie niet hier alleen blijven. Wil je dat ik jullie meteen bij Francine breng?'

'Misschien wil je de koffers vast bij haar brengen, dan gaan Sandra en ik straks op de fiets. Het is wel fijn om die daar bij de hand te hebben. Mijn autootje haal ik later wel eens op.'

'Goed, met die pillen is het beter om niet zelf achter het stuur te kruipen.'

'Ik zou niet eens durven. Bram, is het gewoon dat ik ineens van die rare angsten voel? Niet naar de supermarkt durven, niet in de auto willen rijden?'

'Ja, meisje, dat is normaal bij mensen die een grote schok te verwerken hebben gekregen. Alles komt vanzelf wel weer in orde. Het enige wat jij nodig hebt, is tijd.'

Ze wist dat het waar was. De schok dat ze juist die tijd niet zou krijgen was daarom des te groter. Toen Sandra die middag met Gre naar de psycholoog was en Elsie met een vreemd gevoel voor het laatst, naar ze dacht, door het huis liep waar ze toch zoveel jaren gelukkig was geweest, had ze niet direct in de gaten dat de deur open ging en even later met een smak in het slot viel. Ineens stond Arend voor haar neus.

3

Ze staarden elkaar een paar volle seconden aan. Toen keek hij van haar weg. Elsie voelde een golf van walging door haar heen gaan. 'Hoe durf je hier nog te komen?' barstte ze los. Goddank dat Sandra er niet is, was de eerste zinnige gedachte die door haar hoofd schoot.

'Die meiden liegen,' antwoordde Arend hard. 'Ze wilden het zelf ook.' Hij liep naar de kast en schonk zichzelf een stevig glas cognac in, dat hij in twee flinke teugen achterover sloeg. 'Hè, daar was ik aan toe! Wat een gekkenhuis. Ik moet me douchen en daarna nog even naar de zaak.'

Ze moest gaan zitten, omdat haar knieën te erg trilden. 'Jij beweert dus, dat je je hebt opgedrongen aan twee minderjarige meisjes, maar dat die maar al te graag wilden?'

'Ja, hoor eens, een man wil na jaren wel eens wat anders.'

'Zoals walgelijke dingen doen met je dochter?' plaatste ze het volle schot voor de boeg. Het opnieuw gevulde glas cognac bleef even halverwege hangen. Toen keek hij van haar weg en nam hij opnieuw een paar gulzige teugen. 'Wat ze ook zegt, ze liegt. Er is niets bijzonders gebeurd.'

'Arend, ik ga bij je weg, ik ga van je scheiden en ik voel alleen nog maar walging voor je,' zei ze toen verdacht kalm. Vreemd, het was waar, ze had alleen vanmorgen vroeg nog een pilletje van Bram geslikt, maar daarna niet meer en nu was ze kalm, ijselijk kalm, ja, zelfs onnatuurlijk kalm. Ze nam de man van onder tot boven op. Nog maar zo kort geleden had ze in zijn armen gelegen en... Weer kwam de misselijkheid opzetten. Dat ze niets, maar dan ook niets had gemerkt, kon ze nog steeds niet plaatsen.

'Er zijn al mensen van de krant aan de deur geweest.'

'Wie? Dan stuur ik er een advocaat op af.'

'Je kunt niet blijven volhouden dat er niets aan de hand is, Arend. Wat er precies met die andere meisjes is gebeurd, weet ik niet, maar Sandra heeft me alles verteld.'

'Ze liegt.'

'Je wilt niet weten wat ze dan precies heeft verteld?'

'Hou op met al dat ondervragen, Elsie. Ik ben geen slechtere kerel dan andere mannen. Je wilt wel eens wat anders, ja. Een man wordt gek gemaakt met dingen die op de televisie te zien zijn. Waarom moet ik als een halve monnik leven, als andere mannen ook krijgen wat ze hebben willen?'

'Je hoeft jezelf niet schoon te praten. Je hebt je eigen behoeften bevredigd ten koste van anderen. Van vrije wil was geen sprake, ook al maak je jezelf dat wijs. Je zult zelf in het reine moeten komen met je geweten. Ik ga van je weg. Ik ben vies van je, nu ik dit allemaal weet.'

'Wil je dan alsjeblieft een paar weken wachten, Elsie?' Zijn houding veranderde op slag. Het obstinate verdween. Er verscheen voor het eerst onzekerheid in zijn ogen, misschien zelfs angst. Ze keek er met afgrijzen naar.

'Ik geef je een royale alimentatie, maar als dit niet stilgehouden kan worden en jij gaat ook nog weg, dan kost het me de zaak en dat wil ik niet.'

'Jij wilt niet!' Ze keek hem minachtend aan. 'Je had naar die meisjes moeten luisteren, die niet wilden. Je had je eigen dochter serieus moeten nemen, toen die niet wilde. Ik walg van je! Mijn koffer is al met Bram mee.

Ik ga weg. Ik hoop je nooit meer te zien!'
'Elsie...'
Ze stoof naar buiten, pakte blindelings haar fiets en trapte en trapte tot het haar zwart werd voor de ogen. Toen moest ze stoppen om te huilen. Snel ging ze een zandpaadje in, waar niemand haar kon zien.
De zon was nog warm, maar Elsie rilde alsof ze koorts had.

Het werd al schemerig. Francine werkte nog in haar atelier. Sandra was wit en stil thuisgekomen na haar gesprek met de psycholoog, Gre had een paar bemoedigende dingen tegen Elsie gezegd. Ze hadden een eenvoudige andijviestamppot gegeten en daarna was Sandra naar haar bed gegaan, totaal uitgeput na de overvloed van emoties van de laatste dagen.
Elsie was met een boek in de tuin gaan zitten, maar ze had nog geen drie regels gelezen. Er wilde eenvoudig niets in haar hoofd blijven hangen, behalve de blik van Arend, toen ze langs hem heen naar buiten was gerend. Alsof hij boos was. Alsof hij daar het recht toe had! Nu ze eraan terug dacht, voelde ze zelf woede, woede voor de man, die haar hele levensgeluk met één klap aan scherven had geslagen.
Toen hoorde ze de bel gaan. Een paar minuten later keek ze op, toen haar vriendin Francine de tuin in kwam, op de hielen gevolgd door een man en een vrouw in politie-uniform.
'Heeft mijn man nog meer vrouwen lastiggevallen?' viel ze ongeremd uit. De twee agenten wisselden een blik van verstandhouding.
'Er is een ongeluk gebeurd, mevrouw Van Klaveren. Ik vrees dat het nogal ernstig is,' begon de man.
Sandra? flitste het door haar heen. Nee, die lag in bed.
'Uw man is frontaal op een tegenligger gebotst op de Zeelandbrug.'
Ze trok wit weg. Had ze nog niet genoeg te verduren

gehad? 'Is.. is hij er erg aan toe?' Haar handen balden zich tot vuisten. Opnieuw beefde ze over haar hele lichaam.

'Er waren geen overlevenden, mevrouw Van Klaveren,' zei de politieagente zacht. 'Het spijt me zo voor u.'

Minutenlang bleef het stil. Elsie deed wanhopig haar best om zichzelf te hervinden, midden in de storm van gevoelens die door haar heen raasden.

De agenten zwegen geduldig. 'Weet u dan niet wat er eerder is gebeurd?' hakkelde Elsie toen het gordijn van onwezenlijkheid een beetje optrok.

'Er zijn sterke aanwijzingen dat er opzet in het spel was, mevrouw. Uw man... het spijt me dat ik het moet vragen, maar het is niet uitgesloten, dat hij de dood zelf heeft gezocht. Was hij misschien depressief?'

Toen werd het zwart voor haar ogen. Zelfs de sterkste mens kon niet maar blijven incasseren.

Vaag was ze zich ervan bewust dat Bram was gekomen om haar opnieuw een spuitje te geven. 'Sandra,' fluisterde ze zacht. 'Zij heeft je het hardst nodig, Bram.'

'Juist daarom moet ik jou weer op de been krijgen.'

Francine maakte thee, de agenten overlegden met Bram en vertrokken weer. De dokter ging naar Sandra en kwam een tiental minuten later met het huilende meisje terug, dat Elsie prompt in de armen viel. 'O, mam, ik ben zo opgelucht. Nu hoef ik nooit meer bang voor hem te zijn, hè?'

Ze rilde en kon een paar minuten lang niet meer ophouden. Toen begon het medicijn te werken en voelde ze dezelfde wolk op zich neerdalen als twee dagen geleden.

'Willen jullie hier blijven of gaan jullie liever naar huis? In het laatste geval komt Gre vannacht bij jullie slapen,' zei Bram.

'Ik weet het niet,' mompelde Elsie verward. 'Wat moet ik nu doen in deze situatie?'

'Het is verstandig om de problemen maar zo snel mogelijk onder ogen te zien. De politie wil je huis doorzoeken, Elsie. Misschien is het verstandig als je er dan zelf ook bent. Niet voor nu, maar voor later. Het zal je helpen bij het verwerken van alles wat er nu gebeurt.'

'Het is te veel,' mompelde ze. 'Mijn vader beweerde altijd, dat het leven nooit een zwaardere last op de schouders legt, dan een mens kan dragen. Dat is niet waar. Het is helemaal niet waar!'

'Ik zie het vaak,' reageerde Bram op zijn gebruikelijke rustige manier, 'dat mensen in korte tijd klap op klap te verwerken krijgen, nog voor ze de vorige te boven zijn. Dat is het stapeleffect, zoals ik dat noem. Ieder mens komt dan op een punt dat het hem of haar boven het hoofd groeit. Toch kan er op dat moment niets aan veranderd worden.'

'Gelukkig hoeven lang niet alle mensen zoiets mee te maken,' troostte Francine. 'Jij mag het zeggen, Elsie. We staan allemaal voor jullie klaar.'

'Wat wil jij, meisje?' Voor het eerst richtte ze zich op haar dochter en dat deed de dokter een zucht van verlichting slaken. Hij vond het een goed teken.

'Naar huis, mam, naar mijn eigen kamertje. Ik hoef nu immers nooit meer bang te zijn... dat ik dingen moet doen... voor hem... die ik niet wil.'

Daarna ging alles snel. Bram bracht hen weg en belde vanuit de auto zijn vrouw. Francine ging mee om een hapje eten te maken, al was het niet waarschijnlijk dat er veel gegeten zou worden. De politie wachtte hen al op voor het huis en begon een minutieuze zoektocht. Toch was het Sandra zelf, die het briefje vond op haar hoofdkussen. 'Ik vraag je vergiffenis,' stond er geschreven in het handschrift van haar vader. 'Maar ik zal jou en je moeder nooit meer tot last zijn. De schande is te groot. Ik wil die niet dragen.'

De politie ontfermde zich over het briefje, Sandra huilde opnieuw hete tranen en zei ten slotte, dat het toch een opluchting was dat hij er spijt van had, maar dat het erg was als een mens de dood zelf zocht. Elsie kon dat alleen maar beamen.

Die nacht sliep Elsie nauwelijks. De meeste tijd zat Gre op de rand van haar bed met haar hand in de hare, samen haalden de beide vrouwen herinneringen op aan gelukkiger tijden.

De volgende morgen had ze al haar krachten nodig om de beslissingen te nemen die onvermijdelijk waren. Gre bleef, Francine kwam ook terug en belde de begrafenisondernemer. In de middag kwam de politie opnieuw langs, Sandra en Elsie slikten braaf de kalmerende tabletten die Bram hun had gegeven om deze zware tijd door te komen. Zelfs de psycholoog kwam langs, praatte lange tijd met Sandra en daarna ook met Elsie, alsof er geen andere patiënten bestonden.

Tegen de avond stelde Elsie verwonderd vast dat ze zich iets beter voelde. De begrafenisondernemer nam haar verder alles uit handen. Samen met Francine had ze besproken wat er op de rouwkaart moest komen te staan en ze besloten om een kleine advertentie in het huis-aan-huisblad te laten plaatsen. De pers belde meermalen, maar omdat Gre de telefoon aannam werd Elsie voorlopig de nieuwsgierigheid bespaard, die niet alleen haar eigen dorp in zijn greep had gekregen. Sappige nieuwtjes verspreidden zich nu eenmaal sneller dan een droog strovuurtje, dat werd aangewakkerd door een stevige wind. Terwijl Francine opnieuw een licht verteerbare maaltijd kookte, nam Gre Elsie en Sandra even mee naar buiten de tuin in. 'Even een frisse neus halen,' bromde ze gemoedelijk. Ook Gre was moe. Ze had donkere kringen onder haar ogen. Toch kon ze het niet over haar hart verkrijgen om naar huis te gaan, hoe hard ze daar ook nodig was. Maar Francine zag het wel en beloofde die nacht bij Elsie en Sandra te blijven. Ze schoten er niets mee op als iedereen eraan onderdoor ging.

Later zou Elsie werkelijk niet meer kunnen zeggen, hoe ze die week was doorgekomen. Het uur condoleancebezoek in de aula was een ware kwelling voor haar en Sandra, maar ze vonden steun bij elkaar, en met de mensen die van hen hielden om zich heen, doorstonden ze het. De begrafenis vond in strikt besloten kring plaats. Van Arends zaak was er slechts één krans. In het dorp lieten ze zich niet zien, daar waren ze nog niet aan toe.

Langzamerhand week de wattenwolk waarin Elsie leefde een beetje terug. Ze minderde het gebruik van de kalmerende tabletten van drie per dag naar twee. Gelukkig was het augustus en hoefde Sandra dus niet naar school voor het ergste voorbij was.

De dag na de begrafenis voelde Elsie zich opgelucht. Nu had ze het ergste gehad. Nu kon ze vooruit gaan kijken, gaan verwerken wat er de laatste week allemaal was gebeurd. Was het werkelijk nog maar een week geleden, dat ze zich zo gelukkig had gevoeld? Het leek eerder járen geleden.

Ze belde het hoofd van Sandra's school en vroeg hem om langs te komen om te praten over de eerste dagen van het nieuwe schooljaar. Sandra moest beschermd worden. Haar zorg om haar dochter gaf haar een kracht, waarvan ze nooit eerder had geweten dat ze die bezat. Ze begon opnieuw ijverig te poetsen om maar bezig te zijn en te ontsnappen aan haar kwellende gedachten. Ze wandelde elke dag een paar keer door de tuin, maar het hek ging ze nooit uit. Zo ging er opnieuw een week voorbij. Bram was tevreden, hij kwam nog steeds elke dag even langs. Na die tweede week slikte Elsie nog maar één tabletje per dag en Sandra helemaal niets meer. Het meisje was stil en zichtbaar afgevallen, maar zoals ze beschroomd bekende voelde ze naast alle ellende onmiskenbaar een grote opluchting dat het zware probleem waarmee ze de afgelopen jaren in alle stilte had geworsteld, nu was opgelost. De psycholoog kwam nog een keer langs en sprak af dat moeder en dochter de komende week gewoon naar zijn praktijk zouden komen zoals ook alle andere patiënten dat deden.

Toen kwam de dag dat Francine zei dat ze boodschappen ging doen en dat Elsie deze keer zelf mee moest gaan.

'Ik rijd, en ik blijf bij je, maar eens moet je de mensen weer onder ogen komen, Elsie,' liet ze weten.

Prompt begon Elsie te huilen. 'Ik durf niet. Ik schaam me zo.'

'Jij hebt niets verkeerds gedaan en hoeft je dus ook nergens voor te schamen. Hoe langer je wacht met de mensen weer onder ogen komen, lieverd, hoe moeilijker het wordt.'

Natuurlijk had Francine gelijk. Ze vond het zelfs weer prettig om alleen thuis te zijn. Ze had de afgelopen tijd overleefd en natuurlijk ging het leven door. Maar nu al? Ze wist het niet.

'We halen alleen wat melk en groente in de supermarkt, meer niet. De andere boodschappen haal ik nog wel voor je. Even de winkel in en dan weer uit, dat moet kunnen, denk je niet?' zei Francine.

'Ja,' zuchtte ze. 'Hoewel mijn gevoel het tegendeel zegt, weet mijn verstand dondersgoed dat jij gelijk hebt.'

Pijnlijk was het, al die ogen in haar rug te voelen, te zien hoe de mensen de hoofden bij elkaar staken toen ze haar herkenden. Zelf merkte ze niet eens, hoe al haar spieren zich spanden, hoe krampachtig de trekken op haar gezicht werden. Sommige mensen waren vriendelijk. De eigenares van de supermarkt kwam naar haar toe. 'Mevrouw Van Klaveren, wij leven allemaal erg met u mee. U mag altijd uw boodschappen telefonisch doorgeven, dan komen we ze wel brengen.'

Door die hartelijkheid kreeg ze tranen in haar ogen, hoe hard ze er ook tegen vocht. Ineens gaf ze toe aan de onbedwingbare neiging om de winkel uit te vluchten. Francine rekende onverstoorbaar af en volgde haar even later.

Elsie leunde tegen de wagen en huilde stilletjes. 'Al

die blikken en dat geklets kon ik verdragen,' mompelde ze van streek, 'maar die hartelijkheid was de druppel die de emmer deed overlopen. Begrijp jij dat nu?'

'Als je zoveel hebt meegemaakt als jij, sta je soms versteld hoe je gevoelens je kunnen verrassen,' antwoordde Francine. Ze zette de tas met boodschappen op de achterbank en even later reden ze terug. 'Wil je meteen terug of wil je nog ergens heen? Een bloemetje kopen, misschien?'

'Dan zeggen de mensen dat ik aan het vieren ben dat ik mijn man kwijt ben,' was de bittere reactie. 'En sommigen zullen dan bovendien nog beweren dat ik groot gelijk heb. Een misdadiger die zichzelf heeft doodgereden en daarbij nog een onschuldig slachtoffer heeft gemaakt. Hoe kan ik daar nu mee verder leven, Francine?'

'Zal ik even bij Bram langsrijden?'

'Nee, nee, ik heb nog tabletjes liggen.'

'Misschien ben je te snel geminderd?'

'Dat is mogelijk, maar ik kan mijn gevoelens niet blijven ontkennen.'

'Natuurlijk niet, maar misschien is het nu nog te vroeg om helemaal met slikken te stoppen. Misschien heb je nog een ruggensteuntje nodig. Het spijt me, dat ik erop heb aangedrongen dat je meeging, Elsie. Boodschappen doen is prima, maar niet alle belangstelling van mensen is goedgemeend. Aan nieuwsgierigheid heb je momenteel niets.'

'Je bedoelde het goed en echt, ik dacht ook dat ik het al aankon.'

Thuisgekomen bood Francine opnieuw aan om een paar uurtjes te blijven, maar Elsie wimpelde het aanbod vastberaden af. Ze had er nooit een hekel aan gehad om alleen thuis te zijn. Ze verveelde zich nooit met haar hobby's handwerken en astrologie en bovendien las ze graag. Maar nu had ze een bijna ongezonde behoefte om alleen te zijn en zelfs aan haar beste vriendin durfde ze dat niet te bekennen.

Ze nam geen tabletje meer, maar wel een glas wijn en ontdekte dat ze zich daar ook ontspannen van ging voelen. Resoluut borg ze het flesje met de tabletjes op in het medicijnkastje van de badkamer. Dan had ze ze nog altijd achter de hand, voor het geval dat...

Sandra was boven op haar kamer, met de muziek loeihard aan. Elsie schonk haar lege wijnglas voor de tweede keer vol. Al nippend liep ze met het glas in haar hand naar buiten. Bij het tuinhuis bleef ze staan. De zee strekte zich kalm en schitterend in de zon voor haar uit. Eindelijk voelde ze de druk van die middag weer verdwijnen. Het leven ging verder, ze zou de klappen ooit weer te boven komen, al wist ze nu nog niet hoe.

De telefoon ging. Ze haastte zich naar binnen, nam nog snel een slok en kreeg even later de notaris aan de lijn, die de volgende dag langs wilde komen.

De hypotheek op het huis was bij Arends overlijden komen te vervallen. Het huis was haar onbelaste eigendom, omdat ze testamentair hadden geregeld dat de langst levende partner onbezorgd in het huis kon blijven wonen. Ze kreeg voortaan ook een goede weduwenuitkering, zolang ze niet hertrouwde. Ja, die dingen had Arend goed geregeld. Toen de notaris weer vertrokken was, voelde ze zich bepaald onwerkelijk. Ineens drong het tot haar door, hoe kort het nog maar geleden was, dat ze besloten had bij Arend weg te gaan. Dan had ze een zo goedkoop mogelijk huis moeten huren, dan had ze moeten gaan werken. Nu was ze een niet onbemiddelde weduwe en de uitkering van de verzekering bood haar garanties voor een veel onbezorgder toekomst. Ja, het was cynisch, maar door de puinhoop die Arend van zijn leven gemaakt had, was dat van haar er zeker niet ongewisser op geworden.

Op dat moment overviel haar een gevoel van vrijheid, dat haar verschrikkelijk opluchtte, maar waar ze zich ook, heel diep weggestopt in haar hart, voor schaamde.

4

Elsie viel een paar dagen later onverwacht in een groot zwart gat. Ze voelde zich moe en triest. De dagen duurden eindeloos lang en ze durfde niet meer alleen te zijn met haar gedachten. Ze mocht dan haar man verloren hebben, veel erger was het dat ze haar zelfvertrouwen had verloren, haar illusies over het leven.

Om niet te hoeven piekeren maakte ze het hele huis van onder tot boven schoon, zodat de werkster die wekelijks kwam zich afvroeg waarom ze nog moest komen. Ze werkte daarna als een bezetene in de tuin, maar in het duinlandschap rondom haar huis wilde niet veel bijzonders groeien, dus daar was ze snel mee klaar. Mensen vermeed ze hardnekkig. Het dorp dacht dat ze rouwde, niet alleen om het verlies van haar man, maar vooral om de illusies die ze verloren had. Ver zat men er niet naast. Elsie zou veel warmte en begrip hebben ondervonden als ze de mensen er de kans toe had gegeven, maar haar schaamte over wat er allemaal was gebeurd, zat zo diep dat ze als een schicht boodschappen deed en verder nergens kwam als ze het kon vermijden.

Om Arend rouwde ze niet, ze was de enige die dat wist en het maakte haar schaamte nog groter. Ze wist niet eens meer wat ze eigenlijk voelde als ze aan hem dacht. Haat om wat hij Sandra had aangedaan voerde meestal de boventoon, maar dan schrok ze zo van zichzelf dat ze weer aan het poetsen sloeg. Toen ze uitgepoetst was, ontdekte ze de wijn.

Sandra ging eveneens stilletjes haar gang. Het was

inmiddels september geworden en de school was weer begonnen. Ze ging nu naar de vijfde klas van het gymnasium. Haar prestaties op school leken nergens meer op, maar niemand vond dat gek.

Francine vond, dat haar vriendin zich kranig hield gezien de zware omstandigheden waarin ze was komen te verkeren en probeerde met Sandra te praten nu Elsie dat kennelijk niet op kon brengen, maar het meisje wilde evenmin praten. De psycholoog zei dat Sandra vaker moest komen dan eenmaal per week, maar ook dat wilde ze niet. Al was ze uit een andere vrouw geboren, eigenlijk reageerde Sandra precies eender op de schokkende gebeurtenissen als haar moeder. Ze sloten hun gedachten op. Ze leefden niet, maar probeerden dag na dag te óverleven. Op die manier kwamen ze dus niet nader tot elkaar. Bram was de enige die zich grote zorgen maakte, maar zijn vrouw stelde hem gerust en meende dat de schok zo groot was, dat er eerst een paar maanden overheen moesten gaan voor Elsie en Sandra van Klaveren in staat zouden zijn erover te praten. Ze bedoelde het goed, maar ze zat ernaast.

Moeder en dochter groeiden onbedoeld uit elkaar. Sandra voelde zich in de steek gelaten op het moment dat ze haar moeder het hardste nodig had, en dat veroorzaakte een wond die misschien wel zou helen, maar toch levenslang een litteken zou nalaten.

Elsie verdoofde alle opstandige gedachten en alle pijn met een paar glazen wijn. Al snel werd het een fles per dag en eer de novemberstormen over het land raasden, waren het twee flessen per dag. Zo zweefde ze de dag door en niemand had in de gaten, dat er een nieuw probleem aan de horizon opdoemde, nog voor het oude was opgelost.

Het politieonderzoek naderde in de herfst zijn voltooiing. Een van de rechercheurs kwam op een dag halverwege november naar het huis in de duinen om met Elsie te praten. Het bleek dat Arend de meisjes wel onbehoorlijk had betast en taal had uitgeslagen waar de kinderen geen raad mee wisten, maar een daadwerkelijke verkrachting had niet plaatsgevonden. Ze hadden dingen bij hem moeten doen die nauw overeenstemden met de dingen die Sandra had moeten doen, maar gemeenschap was er niet geweest en hoe ellendig het allemaal ook was, dit was toch iets waar ze eigenlijk opluchting over moest voelen? De meisjes waren nog steeds overstuur, maar hun ouders waren toch ook opgelucht omdat het minder erg was dan eerst gevreesd werd.

Ze had er genoeg van. Ze hoefde dit niet langer aan te horen! Ze wreef over haar slapen en kon zich slechts met uiterste wilsinspanning beheersen om de nog jonge man toe te schreeuwen dat hij moest ophoepelen. Sandra was emotioneel zwaar beschadigd door de dingen die ze van haar vader had moeten doen, die andere meisjes zou het niet veel anders vergaan en zij, zij was met die man getrouwd geweest, zij had niets gemerkt, zij dacht zelfs dat hij tevreden was met hun seksleven! Hoe had ze zo stom kunnen zijn? O, ging die kerel nu maar weg, ze wilde niets meer horen, ze wilde alleen nog maar een glas wijn, twee glazen wijn en dan wegzakken in de vergetelheid waar de kwellende gedachten haar eindelijk met rust zouden laten.

Eindelijk ging hij. Ze was zich vreemd helder bewust, hoe gretig ze de wijn naar binnen sloeg, maar voor even kon het haar niet schelen. Na het derde haastig opgedronken glas voelde ze eindelijk weer wat warmte door haar lichaam trekken, de krampachtige spanningen in haar spieren werden een beetje minder. Ze huilde, eerst een paar snikken, maar al snel was de tranenvloed niet meer te stelpen.

Gelukkig was Sandra op school. Het zou al moeilijk genoeg zijn om haar vanavond te vertellen over het bezoek van de rechercheur. Gelukkig had Sandra haar psycholoog, het was zo moeilijk geworden om het meisje recht in de ogen te kijken na haar falen. Zodra ze weer eens met haar gedachten op dat punt was beland, schonk ze haar wijnglas opnieuw vol. Na twee slokken ging de bel alweer.

Ze zou doen alsof ze niet thuis was. Ze wilde niemand zien. Niemand! Ze nam nog een slok, depte haar ogen droog maar er kwamen nieuwe tranen zodra de oude waren weggewist. De bel ging nog een keer. Hoepel op, dacht ze opstandig. Niemand wil ik zien. Wie zou mij nu nog willen zien? Ik heb gefaald. Ik heb het ergste gedaan dat een moeder kan doen. Ik heb mijn kind niet beschermd tegen... tegen...

Er was iemand omgelopen en die tikte tegen de glazen schuifpui. Door haar tranen heen herkende ze Francine. Ze wilde zelfs haar vriendin niet zien, vandaag. Ze wilde helemaal niemand zien, maar Francine liet zich niet tegenhouden en toen Elsie niet in beweging kwam, stapte ze resoluut door de deur van de bijkeuken naar binnen.

'Ik heb trek in een vers kopje thee,' liet de kunstenares voortvarend weten. 'En daarna ga ik een frisse neus halen op het strand. Ik voel me alleen een beetje duizelig, dus ik zou het fijn vinden als jij mee ging, dan kunnen we arm in arm lopen.' Dat laatste was een heus leugentje om bestwil, maar zo wijs maakte ze Elsie niet. Francine schrok van het bleke, behuilde gezicht van haar vriendin, maar misschien was het juist een goed teken dat de emoties er eindelijk eens uitkwamen.

In één oogopslag zag ze de bijna lege wijnfles. Ze fronste haar wenkbrauwen, al zei ze niets. Het was elf uur in de morgen.

Elsie schonk het wijnglas vol en nam opnieuw een paar gretige slokken. Francine zag het, pakte toen het glas uit de handen van haar vriendin. 'Zo los je niets op, beste meid.'

Elsie kreeg een kop thee voorgezet en een boterham met een gebakken ei. 'Ik durf er heel wat onder te verwedden dat jouw ontbijt uit die fles kwam en geloof me, dat is een wankele basis voor een stevige strandwandeling.'

'Wat ben jij bazig.'

'Als jij niet naar een therapeut wilt, zal ik me maar opwerpen. Je mag praten zoveel je wilt, je mag zwijgen tot je een ons weegt, maar een stevige wandeling is zonder meer gezond.'

'Je wilt zelf helemaal niet, je doet het voor mij.' Elsie snoot haar neus. Het eten deed haar goed, maar ze was te koppig om dat toe te willen geven.

'Je verwaarloost jezelf,' hield Francine haar onbarmhartig voor, zoals alleen allerbeste vriendinnen konden doen.

'Ik weet dat je het goed bedoelt, Francine, maar ik ben het liefste alleen, echt.'

'Dat begrijp ik en vele weken heb ik dat gerespecteerd. Maar het is ongezond om je zo van de wereld af te sluiten. Je denkt, dat iedereen jou aankijkt op de dingen die zijn gebeurd. Maar dat is niet waar. Bijna iedereen heeft medelijden met je. Ze weten, dat je man die meisjes iets ergs heeft aangedaan. Ze weten ook, dat het geen daadwerkelijke verkrachting was. Natuurlijk beseffen ze, dat jij er niets van wist. De algemene mening is, dat het laf van Arend was, om zich dood te rijden en jou met de brokken te laten zitten. Van Sandra weten ze gelukkig niets, dat moeten jullie samen oplossen, met de steun van Bram, van Gre en ook van mij, als je die maar zou willen aanvaarden. Gelukkig gaat Sandra naar de psycholoog, maar jij? Ik vrees dat jij te veel troost zoekt in de wijn, en geloof me, mijn allerbeste vriendin, dat is een gevaarlijk hellend vlak.'

'Als je daarmee wilt zeggen dat ik aan alcohol verslaafd ben geraakt, dan...'

'Je overdrijft. Je zoekt er troost in en voor een paar keer is dat helemaal niet erg. Maar dat je blijven afzonderen en dagelijks drinken, is wél ongezond. Kom, trek je jack aan. We gaan naar buiten. Je zult zien dat het je goed doet.'

Ze wilde protesteren maar had er de kracht niet voor. Ze ergerde zich aan Francine's bemoeizucht, maar heel diep in haar hart was het tegelijkertijd ook prettig, dat er iemand was, die haar dwong tot dingen waar ze zelf de kracht niet voor kon opbrengen.

Het was bijzonder kil aan het strand, het was winderig, waterkoud, en de grijsgrauwe golven beukten op het strand in de opkomende vloed, centimeter voor centimeter werd de zandstrook door de zee veroverd, om die straks weer te moeten prijsgeven in het eeuwige ritme van eb en vloed.

Ze was sneller moe dan ooit tevoren. Al na een krap half uur lopen moest ze Francine vragen om te keren, terwijl die toch gewoonlijk het snelste moe was van hen beiden, vanwege haar astma.

'Zo je wilt. We moeten dit beslist vaker gaan doen, Elsie.'

'Niemand belet je om te gaan.'

'Ik kom je morgen weer halen. Nu de toeristen bijna allemaal verdwenen zijn, is mijn galerie alleen 's middags open en je weet dat ik er graag 's avonds werk. Misschien lukt het me beter, om mijn overtollige pondjes kwijt te raken als we wat vaker gaan wandelen. De medicijnen die ik moet slikken hebben helaas niet alleen invloed op mijn botten, maar ik word er ook nog eens verschrikkelijk dik van.'

'Mijn verstand zegt, dat je gelijk hebt, maar mijn gevoel zegt iets heel anders.'

'Morgen ben ik er weer om dezelfde tijd en dan lopen we een paar minuten langer. Zo doen we wat aan onze conditie. Als jij nu gewoon ontbijt en de wijnfles dicht laat, in ieder geval tot de avond, dan zijn we al een eind op de goede weg.'

'Wat zijn we weer positief! Er zijn momenten in het leven dat een mens helemaal niet verstandig wil zijn.'

'Ben je na de begrafenis al eens bij de ouders van Arend geweest?'

'Nee, en dat wil ik niet ook. Ze zijn van mening dat hun zoon alleen zulke dingen deed, omdat ik hem niet gaf wat hij nodig had. Ze geven mij overal de schuld van. Dat komt er nog eens bovenop.'

'Dat is niet netjes van ze.'

'Ach, ik snap wel, dat ze alles het liefst willen ontkennen, maar ik heb hun steun nodig, geen verwijten. Zolang ze in deze mening volharden wil ik ze niet meer zien.'

'Goed, goed, dat hoeft ook niet. En je eigen ouders?'

'Die weten zich geen raad met de situatie. Zoals je weet zijn ze erg gelovig en het liefst ontkennen ze dergelijke problemen gewoon. Ze doen net alsof er niets is gebeurd, als ze langskomen, maar ik kan daar niet goed tegen. Meestal ben ik blij als ze weer weggaan.'

'Ze hebben je hulp hard nodig. Je stond immers zo vaak voor hen klaar.'

'Ik heb thuishulp geregeld, nu ik niet in staat ben om veel voor ze te doen. Ik betaal de kosten voor ze.'

'Om je schuldgevoel te dempen?'

'Zelfs als dat zo is, ik kan niet anders. Ik ben op, Francine, moe, ik wil niet zwelgen in mijn verdriet, ik drink om eraan te kunnen ontsnappen, maar ik kan nog niet verder gaan met het leven alsof dit allemaal niet is gebeurd. Ik heb tijd nodig en dat heb ik ze eerlijk gezegd. Mijn broer komt nu wat vaker thuis. Het zal over een poosje allemaal wel weer bijtrekken.'

Ze schrok ineens ontzettend van een enorme zwarte hond, die als uit het niets op hen afstormde. De donkere lobbes zwaaide echter vrolijk met zijn enorme staart en zijn grote bruine ogen drukten niets dan goedheid uit. Onwillekeurig moest Elsie glimlachen en ze aaide het dier over de kop, waarop hij prompt zijn tak voor haar voeten deponeerde.

Snelle voetstappen haalden hen in. 'Devil, hier,' bromde een zware mannenstem.

Francine draaide zich om. 'Hé, ben jij het, ik wist niet dat je een hond had.'

Elsie keek van de een naar de ander, Francine leek een beetje te blozen en haastte zich toen de twee anderen aan elkaar voor te stellen. 'Elsie, dit is Beer, bij de burgerlijke stand bekend als Peter van Scherpenzeel, maar volgens mij noemt niemand hem ooit zo. Dit is mijn beste vriendin, Beer, Elsie van Klaveren.'

Handen werden geschud, de grijsharige man, niet bepaald slank maar met vrolijke bruine ogen en een gulle lach om zijn mond, nodigde de twee vriendinnen uit om een kop koffie met hem te gaan drinken in de gelegenheid vlak achter de duinen. De wandeling werd bijna als vanzelfsprekend gemeenschappelijk voortgezet, terwijl Devil onophoudelijk stokken op bleef halen, die aan de voeten van zijn baas liet vallen om er weer even vrolijk achteraan te rennen als ze opnieuw werden weggegooid.

'Zo'n hond heeft vast veel beweging nodig,' begon Elsie aarzelend, nadat Francine en Beer even hadden lopen praten en zij zich een beetje buitengesloten begon te voelen. Ze kende de man niet, misschien was het een late toerist, die onlangs wat bij Francine had gekocht?

'Het is een Newfoundlander en hij weegt bijna zeventig kilo, dus reken maar dat die beweging nodig heeft. Ik moet afvallen van de dokter, maar tegelijkertijd hou ik van een bourgondische levensstijl, dus dit is een goede oplossing. Mijn vrouw was allergisch voor honden, maar sinds zij er vandoor is met haar vroegere jeugdliefde, heb ik Devil in huis. Hij betekent gezelschap, liefde en ook de broodnodige lichaamsbeweging. Er is geen betere oplossing voor een mens die in een crisis verkeert, dan een hond.'

'Hoor je dat?' grinnikte Francine. 'Jij zou dat advies ter harte moeten nemen, Elsie.'

'Ik hoop niet, dat er ook bij jou sprake is van een levenscrisis,' haakte Beer er trouwhartig op in. 'Ik heb er net een achter de rug en geloof me, dat gun je niemand.'

'Elsie is drie maanden geleden weduwe geworden, op een nogal onaangename wijze.'

'Dat spijt me voor je.' De bruine ogen toonden oprecht medeleven, Elsie kreeg het er warm van. Ze was nu werkelijk bekaf en ineens verschenen er tranen in haar ogen. Snel bukte ze zich om Devil over de kop te aaien. 'Zo'n lieve hond verdient een naam die meer bij zijn karakter past,' fluisterde ze schor.

'Eigenlijk wel, maar zijn naam moest vanwege de stamboom met een D beginnen en deze naam had hij al in de kennel gekregen. Hij was de laatst overgeblevene van zijn nest, voornamelijk omdat hij nogal de neiging heeft om te donderjagen en te slopen. Het heeft heel wat training gekost om dat eruit te krijgen, maar nu mag hij zelfs op mijn bank slapen als ik weg ben, dus dat zegt genoeg. Hij is inmiddels drie jaar, de puppystreken zijn er wel af. Hij is een brave, volwassen kerel geworden, niet, Devil?'

De hond kwispelde hevig en zette zijn grote zwarte poten onbekommerd op de schouders van zijn baas om hem een stevige lik over de wang te geven.

'Ja ja, zo gaat het wel weer. We zijn er bijna, dames, en het is kouder dan ik had gedacht. Misschien kunnen we de koffie laten staan en ons een stevig bord erwtensoep laten smaken?' stelde hij voor, waarmee hij het dringende advies van zijn dokter compleet vergat.

Zo zaten ze even later in het enige café dat in dit jaargetijde open was, buiten de weekeinden om. De soep was heerlijk. Verrast ontdekte Elsie dat Francine gelijk had gehad. Ze voelde zich aanmerkelijk beter en zelfs de soep smaakte haar goed.

Francine en Beer praatten, en al snel ontdekte ze zo, dat hij een goedlopende zaak had gehad, waar hij een uitstekend bod op had gehad, vlak voor hij een licht hartinfarct had gekregen. Omdat dit alles gebeurd was binnen drie maanden nadat zijn vrouw huis en haard had verlaten, had hij in een impuls alle bakens verzet. Zijn zaak en zijn huis waren verkocht, en hij had in Haamstede een vrijstaand huis gekocht vlak bij het vliegveld.

Daar wijdde hij zich aan zijn hond en zijn hobby, het freelance schrijven van artikelen voor een krant, artikelen over oudheidkundige vondsten en over oude, vooral mystieke gebruiken. Maar de laatste tijd steeds vaker over allerhande menselijke onderwerpen. Kennelijk vielen zijn schrijfseltjes in de smaak.

'Die mystieke interesse past bij Elsie's hobby,' grinnikte Francine. 'Zij trekt horoscopen en dat vinden de brave dorpelingen hier best een beetje vreemd.'

'Zit er dan enige waarheid in astrologie?' vroeg hij en opnieuw namen zijn ogen haar zo grondig op dat ze er onwillekeurig een beetje verlegen van werd.

'Minder dan de meeste beroepsmatig werkende astrologen beweren, want iemands leven ligt nu eenmaal niet vast, maar wel veel meer dan de meeste mensen denken. Als de geboortetijd en geboorteplaats bekend zijn, kun je een horoscoop trekken. Een goede horoscoop geeft iemands mogelijkheden en beperkingen aan. Aan de hand van een horoscoop kun je een mens op een snelle manier goed leren kennen. Dat vind ik interessant.'

'Misschien weet mijn moeder nog hoe laat ik ben geboren. Ik houd me aanbevolen als oefenmateriaal.'

'Moet je doen,' dwong Francine onmiddellijk af, voor Elsie het kon afwimpelen. 'Het is goed voor je om je hobby weer op te pakken.'

Ze wist dat het waar was, maar sinds die dag in augustus had ze er niet toe kunnen komen om een horoscoop te bekijken. Ze kon er haar hoofd niet bijhouden. Het enige wat ze zich had afgevraagd was, welk aspect bij Arend een rol had gespeeld bij de schokkende gebeurtenissen en het einde van zijn leven. Maar ze had er niet naar gekeken. Daar was ze niet aan toe, nog lang niet.

'Elsie woont in het huis daarginds, in de duinen,' vertelde Francine. Elsie schrok daarvan. 'Je moet er maar eens langs gaan, al was het maar voor een bak water voor Devil, als je weer aan het strand hebt gelopen. 'Lieve mensen, mijn galerie moet zometeen open, ik moet jullie helaas verlaten.'

Weg was ze, tot de niet geringe verbijstering van Elsie zat ze ineens in een drukbezocht café met een man die ze tot voor een uur geleden nog nooit had gezien. Ineens werd ze daar heel erg zenuwachtig van.

'Ik moet naar huis,' fluisterde ze, terwijl haar ogen schichtig over de andere aanwezigen gleden.

'Ik geloof dat ik wel weet wat er aan de hand is,' bromde Beer goedmoedig. 'Ik heb er iets over gehoord. Was het geen opzet, het ongeluk van je man, en was er niet iets met twee meisjes die hij had lastiggevallen?'

Voor het eerst in haar leven kreeg Elsie een paniekaanval.

'Gaat het?' vroeg hij meelevend.

Ze voelde een zware druk op haar borst, had het gevoel geen lucht meer te krijgen. Haar handen tintelden en een vreemde duizeling maakte dat de angst in haar omhoog schoot, zoals ze nog niet had gevoeld sinds de dag waarop haar leven zo veranderd was. 'Ik ben niet zo lekker,' hakkelde ze. 'Misschien heb ik te ver gewandeld.' Ze was verbaasd dat ze toch lucht genoeg scheen te hebben om te kunnen praten.

'Als je het niet erg vindt... ik moet naar huis.' Ze was al buiten toen hij haar haastig achterna kwam. Devil trok ongeduldig aan de lijn. 'Wacht even, dan loop ik mee. Geef me maar een arm. Gaat het wel?'

'Ja, ja,' hijgde ze.

'Je hyperventileert.'

'Hoe weet jij dat nu,' beet ze hem nijdig toe. Al hyperventileerde ze heel het eiland bij elkaar, daar had hij niets mee te maken. Ze wilde maar dat hij ophoepelde, maar net zo trouw als die grote hond van hem, sjokte hij naast haar voort. Hij leek in het geheel niet uit het veld geslagen door haar woorden.

'Je moet iets minder haastig lopen en proberen naar je buik toe te ademen,' ging hij onverstoorbaar verder,

waardoor ze nog bozer op hem werd.
'Als je het niet erg vindt... ik ben er bijna.'
'Ik begrijp de hint. Ik wil je alleen maar helpen, maar als je dat liever niet hebt... gaat het echt wel?'
Ineens moest ze hevig op haar lip bijten. De tranen piepten toch tevoorschijn en het gevoel van hevige angst dat samen was gegaan met het hyperventileren, ebde weg op het moment dat ze haar gevoelens wel moest uiten. 'Ik heb een angstaanval, geloof ik, dat komt doordat ik er moeite mee heb onder de mensen te komen sinds... sinds mijn man verongelukt is.'
'En al die andere dingen zijn gebeurd. Ik heb al begrepen, dat je dat nog lang niet hebt verwerkt. Ga een uurtje liggen, neem een aspirientje of een kalmerend tabletje, het gaat wel over. Hoe beroerd het ook voelt, hyperventilatie stelt volgens de heren doktoren niets voor. Ademen in een plastic zakje helpt niet, al wordt soms het tegendeel beweerd. Probeer aan iets anders te denken. Als je wilt, wacht ik hier een poosje, om er zeker van te zijn dat het goed gaat.'
'Het gaat best,' snauwde ze voor ze haar hek door vluchtte.
Eenmaal binnen voelde ze zich bijna weer normaal. Toen schaamde ze zich diep voor de manier, waarop ze die man had afgeblaft. Vijf minuten later ging ze weer naar buiten. Was hij er nog?
Inderdaad. Hij stond een eindje verder tegen een hek. Ze wenkte. Toen hij dichterbij gekomen was, bood ze hem blozend haar excuses aan. 'Het spijt me, dat ik zo onbeleefd was, Beer. Het was echt niet de bedoeling.'
'Het geeft niet,' bromde hij goedig. 'Gaat het weer beter met je?'
'Ja, dank je. Mag ik je misschien een glas wijn aanbieden om het weer goed te maken?'

5

'Als het een kop koffie mag zijn, dan graag.'

'Natuurlijk mag het koffie zijn.' Elsie en Beer liepen naast elkaar de oprit op. Devil volgde hen op de hielen. Beer keek bewonderend om zich heen. 'Wat een prachtige plek voor een huis.'

'Ja, op dit soort locaties wordt er nauwelijks meer gebouwd.'

'Eigenlijk is dat maar goed ook. Het zou niet goed zijn, als de hele kustlijn volstond met dure villa's. Zolang er duinen zijn, kan iedereen van de zee genieten.'

'Je hebt gelijk.' Ze glimlachte vaag.

Ze maakte koffie en sloeg in de keuken snel een paar slokken wijn achterover, waar hij het niet kon zien. 'Heb je nog trek in iets erbij, na de erwtensoep?'

'Nee dank je. Zoals ik al zei, kost het maat houden me al moeite genoeg.'

'Ach, elk mens heeft zijn zwakheden,' mompelde ze niet geheel vrij van ironie, terwijl ze een blik op de geopende wijnfles wierp, die inmiddels alweer halfleeg bleek te zijn.

Hij praatte over zijn zaak, over zijn verrassing dat hij het werk dat hij vroeger met zoveel liefde had gedaan, eigenlijk zo weinig miste; over het feit dat het in de nieuwe villawijk moeilijk was om contact te krijgen met buurtgenoten, net als overal leefde men ook hier erg voor zichzelf. Hij vertelde over zijn kinderen, hij had een zoon en een dochter. De zoon was tandarts en had sinds een half jaar een eigen praktijk, zijn dochter studeerde rechten. Hij zag ze niet veel, maar had wel een goede band met ze. Zijn ex was onlangs hertrouwd, inderdaad, met de jeugdliefde voor wie ze hem in de steek had gelaten. Nu hoefde hij dus geen alimentatie meer te betalen. Ach, het leven had hem lelijke poetsen gebakken, maar dat hartinfarct had hem goed aan het denken gezet. Hij hoefde niet langer mee te doen in de race van: meer, nog meer en nooit genoeg. Hij leefde prettig en had eindelijk tijd om dingen te doen die hij leuk vond, het was in het geheel niet belangrijk of zijn schrijfseltjes nu wat opleverden of niet. Hij deed het graag en het bracht hem in contact met allerhande mensen.

'Ik zou wel een stukje over jou willen schrijven,' besloot hij gemoedelijk zijn lange monoloog, waarna hij zijn bijna koud geworden koffie opdronk en haar doordringend aankeek.

De schrik sloeg haar om het hart. 'Ik ben niet interessant genoeg om in de krant te komen.'

'O zeker wel. Hoe verwerk je het als vrouw, als je man besluit om zichzelf van het leven te beroven, om maar iets te noemen. Hoe verwerk je het, als hij onzedelijke dingen heeft gedaan met anderen, jonge meisjes nog wel? Genoeg klappen om een mensenleven grondig ondersteboven te gooien. Zeg me eens, hoe ga je met zoiets om?'

'Is dit stiekem toch een interview?' Ze maakte een afwerend gebaar.

Hij bloosde ervan. 'Kennelijk kan ik het niet laten. Mijn nieuwe levensinvulling zou wel eens net zo met me op de loop kunnen gaan, als vroeger mijn zakelijke beslommeringen. Die paniekaanval van daarnet moet je wel serieus nemen, Elsie. Het is een teken aan de wand.'

Ze knikte, natuurlijk had hij gelijk, maar ze wilde er niet over praten. Net als met zoveel dingen die in de laatste maanden waren gebeurd, wilde ze net doen alsof het er niet was geweest.

'Hoe heb je Francine leren kennen?' Het was een duidelijke aanwijzing dat ze het gesprek over een andere boeg wilde gooien.

Hij nam de wenk onmiddellijk ter harte. 'In eerste instantie doordat ik over haar had horen praten en dacht, dat ik voor de streekkrant wel een stukje wilde schrijven over haar werk. Toen ik bij haar kwam, was ik meteen onder de indruk. Meestal is het andersom, weet je. De meeste kunstenaars zijn erg onder de indruk van hun eigen prutswerk, al hebben ze honderd keer op de academie gezeten.'

Ze schoot in de lach en ineens begonnen zijn ogen te twinkelen. 'Kijk, daar zat ik al op te wachten sinds Devil je bijna ondersteboven liep. Wat is het toch fijn om een hond te hebben! Je zou er ook een moeten nemen. Je raakt als vanzelf met iedereen in gesprek als je met een hond buiten loopt.'

'Dat is niet iets waar ik op zit te wachten. Waar is Devil eigenlijk?'

'Als het warm is in huis, is hij het liefste buiten. Thuis heb ik mijn halve tuin opgeofferd om een ren voor hem te maken. Kom eens kijken, zou ik zeggen.'

Ze schraapte haar keel. 'Ik weet dat je het goed bedoelt. Ik besef ook, dat je graag kennissen wilt maken in je nieuwe omgeving. Maar je ontmoet kennelijk mensen genoeg, Beer, en momenteel heb ik in mijn leven vooral behoefte aan afzondering. Dus..., als je het niet erg vindt?'

Hij keek bezeerd en onder alle andere omstandigheden zou ze dat begrepen hebben. Ze had nu zelfs min of meer een hekel aan zichzelf. Maar dat kon niet verhinderen dat ze zich opgelucht voelde, toen hij bijna meteen daarna opstapte. Om haar botte opmerking goed te maken, aaide ze Devil over zijn goedige kop en mompelde dat ze wel eens langs zou komen, zo in het voorjaar, als ze zich weer beter voelde.

Hij was hem aan te zien dat hij dacht, dat het een loze belofte was.

'Elsie, ik ben bang.' Met een doodsbleek gezicht stormde Francine langs haar heen naar binnen, nog voor ze goed en wel de voordeur had geopend voor haar beste vriendin.

'Wat is er, wat heb je?' vroeg ze verbouwereerd.

'Ik stond onder de douche en toen voelde ik een knobbeltje in mijn borst.' Dit keer was het Francine die hyperventileerde, waar ze door haar astma natuurlijk extra gevoelig voor was.

'Dat hoeft nog niets te betekenen,' suste Elsie terwijl ze haar schrik probeerde te verbergen.

'Mijn moeder is aan borstkanker gestorven, toen ze net veertig was. Dat weet je toch?'

'Ja, dat weet ik. Ik bel Bram en ga met je mee. Als je bang bent, moet je niet onnodig lang in de zenuwen zitten. We kunnen vast meteen bij hem terecht.'

'Hij zit midden in zijn spreekuur.'

'Voor jou weet hij vast wel een paar minuten vrij te maken.'

Elsie voegde de daad bij woord, en vijf minuten later reden ze naar het doktershuis. Er zaten drie mensen in de wachtkamer, ze gingen erbij zitten.

'Zal ik hier op je wachten als je aan de beurt bent?'

Francine knikte. Ze zag bleek, begrijpelijk. Elsie huiverde. Baarmoederkanker, borstkanker, alle vrouwen waren er bij tijd en wijle bang voor om zoiets te krijgen. Zelf was ze altijd zenuwachtig als ze een uitstrijkje liet maken.

Bram wilde geen enkel risico nemen. Francine kon de volgende morgen al in het ziekenhuis terecht voor nader onderzoek en Elsie beloofde met haar vriendin mee te gaan. 'Eindelijk kan ik iets terug doen, want jij hebt de laatste tijd aldoor voor mij klaargestaan,' meende ze.

Die middag besefte ze na een paar glazen wijn, dat het verstandig zou zijn als ze niet zoveel zou drinken. Morgen zou ze beginnen met minderen, niet nu, nu had ze het nodig. Ze was zo vreselijk gespannen.

Wat als Francine inderdaad borstkanker had? Kon dat

wel? Kon een mens zoveel narigheid aan? Waarom kwam soms alles tegelijkertijd in het leven? Ze had dat vroeger wel gehoord van anderen, maar in die tijd had ze, naïef genoeg, nog gedacht dat een mens nooit meer te dragen kreeg dan hij of zij dragen kon. Nu was ze daar niet meer zo zeker van.

Francine moest een foto laten maken. Na een week zou ze de uitslag horen. Weer terug uit het ziekenhuis dronken de twee vrouwen samen een glaasje, Francine kon het op dat moment even goed gebruiken als Elsie en de eerste had niet in de gaten hoe vaak Elsie probeerde haar gevoelens te verdoven. Ze had er een paar keer een opmerking over gemaakt, soms mopperend, soms half gekscherend, maar dat Elsie dagelijks zoveel dronk, wist Francine niet. Elsie die wel wist dat het niet in de haak was, verborg het goed.

Francine vond haar vriendin flink. Ze zag Sandra niet veel. Die ging elke dag naar school en leek zich te hebben gevoegd naar de omstandigheden.

Moeder en dochter praatten niet meer over de dingen die waren gebeurd. Arend was dood en begraven. Er kwam geen rechtszaak voor de aanranding, want een dode kon niet veroordeeld worden. De financiële zaken waren geregeld. Uiterlijk ging het leven weer zijn gangetje. Moeder en dochter Van Klaveren staken hun hoofden in het zand, zij het onbewust. Ze hadden de draad van hun leven weer opgepakt, zo leek het tenminste. Bram probeerde wel eens met Elsie over de gebeurtenissen te praten, maar ze gaf hem er de kans niet toe. Dat vertelde hij dan aan zijn vrouw Gre, die zich er zorgen om maakte.

Zo kwam Kerstmis in zicht. 'Wat doen we eraan?' vroeg Elsie twee dagen voor Sinterklaas aan Sandra.

'Niet veel,' stelde het meisje voor. 'Laten we een cadeautje voor elkaar kopen en verder niet.'

'Geen gasten vragen, en nergens naartoe?'

'Tante Francine zal wel komen, tweede kerstdag, zoals

elk jaar. We kunnen gourmetten, dat is lekker en gemakkelijk voor jou. Het zal net als anders zijn, mam. Ik mis pap niet. Jij toch ook niet?'

Ze had zich in al die weken niet afgevraagd of ze Arend nu miste of niet. Ze dacht er ook niet aan hoe haar leven er uit zou hebben gezien als hij was blijven leven. Zou ze dan ook een paar glazen wijn nodig hebben gehad, om er op uit te kunnen gaan? Was het dan misschien nog moeilijker geweest om mensen onder ogen te komen?

Ze besloot toch maar een kerstboom neer te zetten. Bram belde op dat Gre en hij op kerstavond graag even langs wilden komen om wat te drinken. Daar keek ze niet vreemd van op. Bram had veel zorg aan hen besteed in de afgelopen vier maanden. Voor een deel kwam dat natuurlijk omdat ze vroeger voor hem had gewerkt en ze elkaar dus goed kenden. Ze wist dat hij zich zorgen maakte om Sandra en ook om haar. Bram wist niet dat Elsie meer dronk dan goed voor haar was. Dat wist niemand. Soms haalde ze wijn in Zierikzee, een paar flessen in de ene winkel en een paar flessen in de andere. Ze hadden een eigen wijnkeldertje en dat was altijd goed gevuld geweest. Geweest. Ze dronk gemiddeld anderhalf tot twee flessen per dag en ze sloeg nooit een dag over. Ze wist dat het te veel was, maar ze had het nodig, vond ze. Anders durfde ze nergens meer naartoe.

Eerlijk gezegd zag ze als een berg op tegen de komende feestdagen. De eerste keer was het ergste, had ze altijd gehoord. Ze zou er door moeten, hoe dan ook. Zelfs de komst van Bram en Gre verheugde haar niet.

Hun bezoek was echter een complete verrassing, want het tweetal kwam niet alleen.

Gre droeg een piepende wit-met-bruin gevlekte, bewegende en wollige verrassing in de armen. 'Dit is ons kerstcadeau voor jou, Elsie. Een pup. Hij heet Merlijn, je zult hem goed moeten opvoeden en hij moet natuurlijk regelmatig worden uitgelaten. Als hij een beetje groter is, moet je met hem naar de puppycursus.'

Verbijsterd nam ze het hondje aan dat in haar handen werd gedrukt. Onmiddellijk begon het nieuwsgierig aan haar te snuffelen.

'Wat een scheetje,' kreet Sandra verrukt. 'Is die echt voor ons? Wat is het er voor een? Geen vuilnisbakkie, dat zie ik wel.'

'Het is een cavalier king Charles spaniel. Het voordeel van een rashond is, dat je ongeveer weet welk karakter een dier heeft. Spaniels zijn behoorlijk eigenwijs en hebben dus een consequente opvoeding nodig, maar ze zijn speels, vrolijk en heel aanhankelijk. Het leek me fijn voor je, weer iets te hebben dat graag knuffelt, Elsie.'

Ze keek bedenkelijk. Ze dacht aan alle keren dat ze er met het dier op uit zou moeten gaan. Daar zag ze tegenop. Dat zei ze dan ook.

'Juist Merlijn zal je helpen. Een puppy is zo vertederend. Mensen zullen je tegemoet treden, vertederd door je hondje en dan praten ze niet over die andere dingen. Eens moet je het leven weer onder ogen zien, Elsie. Gre en ik dachten oprecht, dat deze pup je erbij zou kunnen helpen. Maar als je denkt dat er bezwaren aan kleven, nemen we hem mee en houden we hem zelf. Een jong hondje verdient nu eenmaal een thuis waar hij meer dan welkom is.

'O nee, mam, we houden hem, hè?' reageerde Sandra onmiddellijk, ze nam het puppy van haar moeder over en knuffelde hem hartstochtelijk. Ze had haar dochter in lange, lange tijd niet zo gelukkig gezien en daarmee ebde de laatste twijfel bij Elsie weg. Als ze zelf niet onder de mensen durfde te komen, was Sandra er immers nog. En op het strand kwam je zeker in de winter niet veel mensen tegen. 's Zomers was het anders, maar dat waren toeristen die toch niet wisten wat ze had meegemaakt. Om die reden kostte het haar ook veel minder moeite om in een stad als Zierikzee te winkelen, waar slechts een paar mensen alles van haar wisten.

'Natuurlijk houden we hem,' gaf ze na die gedachte glimlachend toe. 'Ik heb alleen nog nooit een hond gehad, dus ik heb er geen idee van hoe ik hem moet opvoeden.'

'Ik zal heel eerlijk zijn,' grinnikte Gre. 'Bram kwam met het idee om jou een hond te geven en dat vond ik uitstekend. We zochten een goede fokker op en gingen kijken bij het nest. Er waren nog twee puppy's beschikbaar, dat was twee weken geleden. De andere pup is dus... je raadt het misschien al... bij ons thuis. Ik ga dus met je mee naar de puppycursus.'

'Jullie hebben altijd een hond gehad, dat scheelt.'

'Juist daarom weten we hoeveel plezier je van zo'n dier kunt hebben. Vroeger hadden we altijd een golden retriever, maar die zijn nogal groot. Dit ras is gemakkelijker overal mee naartoe te nemen, en als je niet meer aan huis gebonden bent door de kinderen, is dat een factor die duidelijk meespeelt. Als je dus vragen hebt... kun je bij mij terecht. Het broertje van Merlijn heet Mozes en ik ben dus wel verplicht om hem aan te leren mee te gaan in een rieten mandje... op de fiets,' grinnikte Gre opgewekt. 'Ik weet een goed boek over het opvoeden van honden. Misschien is het verstandig van je om zoiets aan te schaffen en een bench zou ik je ook aanraden. Dat is een soort hondenbox, waar ze ook in kunnen slapen, dat scheelt een hoop kapotte meubelen en kussens.'

'O.' Elsie was zelden zo perplex geweest, maar Sandra dweilde al lachend over de vloer en Merlijn rende achter een oude tennisbal aan, alsof hij altijd al bij hen had gewoond.

Het werd zodoende een heel andere kerst dan ze hadden gedacht. Merlijn beheerste van het ene uur op het andere het hele leven in huis. Het kleine hondje deponeerde onbekommerd overal zijn plasjes en hoopjes, terwijl hij buiten alleen maar tijd had om naar mensen toe te rennen, naar ronddwarrelende blaadjes te springen en kwispelstaartend andere honden tegemoet te lopen.

‘Gelukkig hebben Bram en Gre er wel een riem bij cadeau gedaan,’ meesmuilde Elsie.

‘We gaan meteen naar de dierenwinkel, zodra die open is, mam. Wat een fijn idee van ze, hè? Ik heb al zo lang een hond willen hebben.’

‘Daar wist ik niets van.’

‘Pap zei dat het niet mocht. Alleen misschien als ik heel lief voor hem was, maar ik was nooit lief genoeg.’ De ogen van het meisje werden onverwacht donker en haastig pakte ze het hondje op om hem weer even mee te nemen naar buiten, in de hoop dat hij zijn behoefte op de juiste plek zou doen. Elsie bleef van haar stuk gebracht achter. Voor het eerst drong het tot haar door, dat Sandra nog lang niet klaar was met het verwerken van wat er was gebeurd.

Tweede kerstdag liep ze al vroeg buiten. Omdat er niemand te zien was, durfde ze de tuin wel uit te gaan. Op straat mocht Merlijn nog niet te veel komen, voor hij volledig ingeënt was, had Gre haar geïnstrueerd. Ze voelde zich eigenlijk best plezierig. Op dit tijdstip zou ze niet veel mensen tegenkomen.

Die gedachte was nog niet door haar hoofd geschoten, of uit het hek van de buren kwam een man die ze niet kende. Hij bleef staan, aaide Merlijn die de vreemdeling kwispelstaartend begroette zoals hij bij iedereen deed. ‘Woont u hier?’ vroeg de aantrekkelijk uitziende man.

‘Jazeker,’ antwoordde Elsie, terwijl ze een kleur kreeg onder zijn onderzoekende blik.

‘Ik ben Thomas ten Doorenhof. Ik heb het huis hiernaast gehuurd en ik woon er sinds een week.’

‘Wat zegt u nu? Ik wist niet eens dat het te huur stond.’

‘Vroeger woonde er een achterneef van me. Die moest voor zijn werk in Amerika gaan wonen en wilde het voor langere tijd verhuren. Ik heb me meteen gemeld.’

'Het is hier heerlijk wonen.'

'Het is rustig en dat is belangrijk voor me. Ik werk aan een roman.'

'O?'

'Binnenkort moeten we eens werkelijk kennismaken,' stelde hij voor. 'Wilt u een keer bij mij op de koffie komen of kom ik bij u?'

'Ik kom wel,' haastte ze zich. Dan kon ze tenminste weer opstappen als het voor haar lang genoeg had geduurd.

'Aanstaande zondag in de namiddag? Neem de hond maar mee. Hoe heet hij?'

Drie minuten later stapte hij fluitend zijn pad weer op en nog een tikje nerveus vervolgde Elsie haar weg. Een nieuwe buurman. Een vlotte kerel. Een man die wist dat vrouwen hem er goed uit vonden zien, dat was al meteen duidelijk. Een man met, heus, een flinke dosis sex-appeal. Het leven stelde een mens te allen tijde voor verrassingen!

Ze droeg het kleine hondje de trap over, weer naar beneden aan de zeekant en even later liep ze over het koude, maar heerlijk verlaten strand.

Francine zag bleek en was gespannen, maar ze was meteen weg van het kleine nieuwe gezinslid. Over drie dagen kreeg ze de uitslag, en zag daar als een berg tegenop. Ze was bang en Elsie kon dat maar al te goed begrijpen.

'Het is maar een vreemde kerst. Zowel voor jou als voor mij is alles heel anders geworden,' zei Francine. Zo mijmerden de twee vriendinnen na het eten voor de brandende open haard, terwijl Sandra Merlijn uitliet in de tuin.

'Je ziet maar eens hoe fijn het is om een goede vriendin te hebben,' knikte Francine. 'Ik zou me nu geen raad weten zonder jou en ik kan je hulp gemakkelijk accepteren.'

'Nog maar kort geleden was jij er steeds voor mij.'

'Daarom juist. Het gaat over en weer. We zitten niet bepaald in een rustige fase van ons leven, Elsie. Hoe vond je Beer?'

Verwonderd keek ze Francine aan. 'Zie jij soms wat in hem?'

De ander grinnikte. 'Welnee, ik zou liever een Franse zuiderling hebben, met een alpinopet op, een stokbrood en een fles wijn onder de arm en een kei in jeu de boules.'

'Jasses.'

'Beer is al twee keer langs geweest, nadat jullie elkaar ontmoet hebben en beide keren vroeg hij naar jou.'

'Volgens mij is hij eenzaam en zoekt hij op alle mogelijke manieren contact.'

'Neem het hem eens kwalijk.'

'Ik heb vanmorgen mijn nieuwe buurman ontmoet, nu we het over ontmoetingen hebben. Ik wist eigenlijk niet eens dat ik er een had, maar het is een uiterst aantrekkelijke kerel.'

'Zo?'

'Schei uit, Francine. Misschien past hij beter bij jouw artisticiteit. Hij schrijft een roman.'

'Hoe heet hij dan?'

'Er zijn zoveel mensen die boeken schrijven, maar dat wil nog niet zeggen dat die werkelijk in de winkel komen te liggen.'

'Vertel mij wat. Het is al net als met ons, beeldend kunstenaars. Hoe heet hij? Misschien laat ik morgen Merlijn wel uit.'

'Gekkie, daar gaat je Fransman met zijn stokbrood en zijn wijn. Hij heet Thomas ten Doorenhof.'

'Dé Thomas ten Doorenhof?'

'Ken jij die dan?'

'Nou en of! Hij schrijft boeken waar jij en ik een behoorlijk tikje roder van worden.'

'Dat meen je niet.'

'Loop maar niet in je nachtpon door de tuin, want

voor je het weet, duik je in zijn boek op, met nog heel wat minder aan.'

'Hè Francine, doe niet zo eng. Weet je het zeker?'

'Er is een schrijver die zo heet en dat soort boeken schrijft. De naam is niet bepaald algemeen en bovendien, die Thomas is inderdaad een knappe kerel. Hij is soms op tv.'

'Dan toch in een ander soort programma, dan waar ik gewend ben naar te kijken.'

Sandra stormde binnen. 'Dag mam, ik kwam de buurman tegen. Omdat hij de hele kerst alleen gezeten heeft, heb ik hem maar meegenomen.'

'Hallo,' klonk de zwoele stem van Thomas, die vol interesse van de ene vrouw naar de andere keek. 'Vond je het niet erg dat je dochter me heeft uitgenodigd om de fles wijn leeg te komen maken? Uiteindelijk duurt het nog een hele tijd voor het zondag is.'

6

Thomas werd hartelijk verwelkomd. Francine was nieuwsgierig omdat ze de man tot dan toe alleen op de televisie had gezien en alles wat haar maar even kon afleiden van die knobbel in haar borst, was welkom. Elsie voelde zich gevleid door de duidelijke belangstelling waarmee de ogen van Thomas keer op keer over haar heen gleden. Merlijn vond het allang best, hoe meer zielen, hoe meer vreugde, want hij vond nu eenmaal iederéén aardig. Thomas werd zelfs niet boos toen de jonge hond hardnekkig in de pijpen van zijn rafelige spijkerbroek bleef happen.

De fles wijn was in rap tempo geleegd en zonder bedenken trok Elsie een nieuwe open. Sandra lag languit voor de televisie en gooide met de speeltjes van Merlijn, die hij zonder het moe te worden bleef ophalen. Francine vertelde over haar werk en nodigde Thomas uit om eens in haar atelier te komen kijken. Dat beloofde hij grif. Hij maakte Elsie complimentjes over haar huis, dat veel groter en luxueuzer was dan het zijne. Maar ja, een schrijver in een klein taalgebied als Nederland, hè? Die kon niet maandelijks torenhoge bedragen ophoesten. Dat begrepen de dames wel. Hij voelde zich niettemin bevoorrecht in zo'n mooie omgeving te kunnen wonen, nooit in de file te hoeven staan, behalve als hij zo'n drie keer per maand het land in trok om ergens een lezing te houden, of om zo nu en dan te verschijnen in een televisieprogramma. Misschien moest hij ook een hond nemen om achter de computer vandaan te komen, maar ach, hij was zoals veel auteurs een ware nachtuil en hield ervan om 's morgens een gat in de dag te slapen.

'Ik kwam je laatst anders 's morgens in alle vroegte tegen,' stelde Elsie verwonderd vast.

Hij lachte onbekommerd. 'Wat voor jou de vroege morgen was, was voor mij nog steeds de late avond, lieverd. Ik heb nog een glaasje gedronken en daarna geslapen tot drie uur in de middag.'

'O.' Ze wist ineens niet meer wat ze van hem denken moest. Voor het eerst vond ze zijn doordringende blik een beetje onaangenaam, maar ze kon met geen mogelijkheid zeggen waarom. Hij was een goede gast, maakte complimentjes, dronk stevig met haar mee, ook toen Francine na twee glaasjes afhaakte en overging op een mineraalwatertje. Hij vertelde boeiend over het literaire meesterwerk waar hij mee bezig was, een boek dat na verschijnen alle critici van hun stoel moest laten rollen vanwege de ongekend hoge kwaliteit. Een literair hoogstandje dus; een boek dat ook dit keer, dat had je nu eenmaal in die kringen, tot aan de nok toe gevuld moest zijn met seks, net niet grof genoeg om mensen te schokken, maar wel zo geschreven dat men er zelfs in deze tijden rode oortjes van kreeg. Ja, dat verkocht, zo was dat immers. Hij had talent, maar evengoed zakelijk inzicht en het schip met geld mocht wat hem betreft snel binnenlopen.

Francine lachte hem stiekem uit, tenminste, dat dacht Elsie. Zelf was ze er niet zeker van of ze nu te maken had met een creatieve geest die broedde op zijn ultieme schepping, of met een slimme jongen die zijn gave wilde gebruiken om er zoveel mogelijk aan te verdienen.

Francine begon tegen twaalven te geeuwen en Sandra beklom half slaapdronken de trap. Merlijn had een dutje gedaan, dus hij barstte inmiddels weer van de energie en moest natuurlijk nog even naar buiten. Thomas liep met haar mee de donkere nacht in.

Hij raakte haar niet aan, hoewel hij dicht naast haar liep. Ze droeg het kleine hondje een eindje mee en zette hem toen neer bij wat gras om hem zijn behoefte te laten doen. Een plasje lukte meteen, een hoopje niet. Merlijn raakte er al een beetje aan gewend, dat hij aan de riem moest meelopen en ging kwispelstaartend met hen mee naar het hek.

'Welterusten, Thomas,' zei Elsie toen ze daar waren. Het was een kille vriesnacht en de sterren straalden helder boven het vredige landschap. Als altijd was het geruis van de zee op de achtergrond te horen.

'Ik ga nog een paar uurtjes werken,' glimlachte hij. 'Ik heb vanavond weer veel inspiratie opgedaan. Jij zou ook iets creatiefs moeten gaan doen, Elsie. Dat geeft veel voldoening.'

'Als je het niet erg vindt, wil ik graag de datum weten waarop je geboren bent, de plaats waar dat is gebeurd en zo precies mogelijk de tijd. Ik ben een enthousiast amateur-astroloog, moet je weten.'

'Echt waar? Wat interessant! Ik ben een leeuw.'

'Dat kan kloppen, want je houdt er duidelijk van om in het middelpunt van de belangstelling te staan. Dat is een typische leeuw-eigenschap, maar goedbeschouwd zegt dat alleen iets over de positie van je zon. Je ascendant is ook belangrijk, die zegt iets over hoe je overkomt op de buitenwereld. Je ascendant hangt samen met het tijdstip waarop je bent geboren. Dan is er nog de stand van de maan, het symbool voor je gevoelsleven. Het teken op je midhemel is ook belangrijk. Het tiende huis is het huis van eer en aanzien, en zegt iets over wat je bereikt in de wereld. Aangezien je nogal wat van plan bent, ben ik daar nieuwsgierig naar.'

'Wil je werkelijk mijn horoscoop trekken?'

'Als je het goed vindt, graag. Maar verwacht niet dat ik je toekomst voorspel. Daar doe ik niet aan.'

'Jammer! Ik wil best weten hoe mijn bestseller zal gaan verkopen.'

'Het leven ligt nu eenmaal niet vast, Thomas. Wel kan ik zien of je de komende tijd te maken krijgt met gunstige tendensen of juist ongunstige, en er zijn ook aanwijzingen te vinden op welke levensgebieden die aspecten zullen uitwerken. Een horoscoop geeft mogelijkheden en beperkingen aan, maar de mens heeft een vrije wil en het is dus aan hem, wat hij ermee doet.'

'Ik wist meteen dat je een interessante vrouw was, Elsie. Maar nu is elke twijfel verdwenen. Ik ben blij, heel blij, je te hebben ontmoet.'

Ze voelde zich gevleid. Daarom glimlachte ze naar hem. 'Ik ook.'

'Morgen zal ik mijn moeder bellen om te vragen hoe laat ik ben geboren.'

'Als zij het niet meer weet, kun je een fotokopie opvragen van je geboorteakte. Daarop staat de tijd vermeld.'

'Ik hoop je morgen weer te zien, Elsie. Kom je dan een glaasje wijn bij mij drinken? Ik ben een echte liefhebber, weet je, en jij kennelijk ook.'

'Morgen moet ik eerst met Francine weg, maar misschien loop ik later even langs.'

'Graag. Een goede buur is beter dan een verre vriend. Ik ken hier bijna niemand. Vroeger logeerde ik zo nu en dan in een hotel hier in de buurt, als ik ongestoord wilde werken. Neem deze kleine jongen gerust mee, Elsie. Welterusten.' Hij kuste haar vlinderlicht op de wang.

Voor Elsie leek de duistere periode van de afgelopen maanden eindelijk zijn kwellende kant te verliezen. Er was een leven na alles wat ze had meegemaakt, ontdekte ze verwonderd. Eens kwam de dag waarop ze weer gelukkig zou zijn. Nu ze in de donkere winternacht terug liep naar huis en nog even naar het nasmeulende vuur in de open haard bleef kijken onder het genot van een allerlaatste glaasje wijn, voelde ze zich voor het eerst sinds de problemen die afgelopen zomer begonnen, weer gelukkig.

De volgende morgen werd ze wakker met hoofdpijn. Had ze soms te vast geslapen? Nee, je hebt doodeenvoudig een kater, liet een stemmetje van binnen weten. Ze zette sterke koffie en slikte twee aspirines. Omdat ze absoluut niet eten kon, deed ze een krentenbol in een plastic zakje voor onderweg. Ze moest zich haasten om bij Francine te komen.

Het was rustig in het ziekenhuis. Toch duurde het wachten lang voor de zenuwachtige Francine. Toen ze in de spreekkamer was verdwenen, haalde Elsie nog een bekertje slappe ziekenhuiskoffie en at ze de krentenbol op. De aspirines deden hun werk. De hoofdpijn was teruggebracht tot niet meer dan een vervelend gevoel op de achtergrond. Ze haalde diep adem.

Ze schrok enorm toen Francine uit de spreekkamer kwam met behuilde ogen. Nee, dat kon niet waar zijn. Het kon eenvoudig niet! Niet nog meer ellende. Francine slikte dapper, maar de tranen bleven niet uit toen Elsie haar in de armen nam en even heen en weer wiegde. 'Foute boel?' vroeg ze schor.

'Ze zijn er niet zeker van, Elsie. Ik moet na het weekeinde terugkomen, dan halen ze onder narcose een stukje weefsel weg, maar als het nodig is...'

'Moet dan je borst eraf?'

'Bij twijfel wordt er geen enkel risico genomen. Is het niet meteen duidelijk, dan wordt het weefsel onderzocht. Als dat nodig is, volgt er alsnog een operatie. Ik ben zo bang, Elsie.' Ze bibberde en kon nauwelijks op haar benen staan.

"Ben je in staat om mee te gaan?'

'Natuurlijk,' hakkelde Francine.

'Zie je nu, dat het goed is dat je niet alleen bent en dat ik rijd? Kom, we gaan naar huis en ik bel Bram op om het hem te vertellen. Het is goed om wat kalmerends te slikken, dat helpt je de moeilijke dagen door.'

'Ik hou niet van kalmerende tabletten. Je bent zo snel verslaafd. Dat is mijn zus overkomen die wanhopig pro-

beerde een slecht huwelijk in stand te houden.'
'Kom nu mee. Je moet ze inderdaad niet te lang slikken, maar ze zijn uitstekend om er een paar moeilijke dagen mee door te komen. Dat heb ik ook gedaan. Daarna slik je ze alleen nog op moeilijke momenten.' Of je ontdekt de drank, vulde een stemmetje van binnen treiterig aan.

Ze reed voorzichtig. Francine was eerst stil en begon toen ineens zo snel te praten dat ze bijna over haar woorden struikelde. Het was bij enen toen de twee vriendinnen in Francine's galerie terugkwamen. Elsie belde meteen naar Bram, trok toen een blik soep open en sneed twee broodjes door, die ze belegde met een dikke plak kaas. 'Hier, we gaan eten. Ik weet dat je geen honger hebt, maar je zult ervan opknappen. Als Bram is geweest, neem je een tabletje en probeer je wat te slapen. Vanavond kom je bij mij eten. Ik ga mosselen maken. Een van je lievelingskostjes.'

'Ik heb liever oesters.'

'Goed zo, gevoel voor humor is het kostbaarste bezit van een mens.'

'Doe niet zo akelig positief, Elsie.'

'Hoe was het andersom, nog maar een paar maanden geleden?"

'Ja, je hebt gelijk. Wil je me een plezier doen?'

'Altijd.'

'Wil je Beer even bellen om... om het hem te zeggen. Het nummer staat in de klapper. Van Scherpenzeel.'

'Wil je dat hij langskomt?'

'Later in de middag, graag. Het is zo'n rustige man. Ik praat graag met hem.'

'Dan moet jij ondertussen je soep opeten.'

Ze belde Beer en vertelde hem in het kort wat er was gebeurd. 'Ik ben om drie uur bij haar. Als ze de deur van de bijkeuken openlaat, dan kan ik naar binnen als ze nog mocht slapen. Hoe is het overigens met jou, Elsie?'

'Best hoor, misschien heb ik binnenkort je advies

nodig. Ik heb een pupje gekregen en ik weet echt niet hoe ik hem moet opvoeden.'

'Ik wil hem graag een keertje zien. Zeg maar, wanneer ik met Devil mag komen kijken.'

'Is Devil niet een beetje groot voor zo'n klein hondje?'

'Je zult verrast zijn over zijn gedrag.'

'Weet je wat, ik heb gevraagd of Francine vanavond bij me komt eten, omdat ik niet wil dat ze vandaag alleen is en aan het piekeren slaat. Misschien is het een goede gelegenheid dat jij ook komt om elkaar wat beter te leren kennen. Ik kook mosselen. Als je daarvan houdt, ben je van harte welkom.'

'Dat is dan afgesproken.'

Ze zou Thomas ook vragen. Francine en zij, allebei met een bewonderaar. Ze moest ineens lachen en voelde zich weer wat lichter.

Bram keek ernstig, liet Francine een tabletje slikken en liet er nog een stuk of zes achter, alleen te gebruiken als het echt noodzakelijk was. Ze kon hem altijd bellen, ook in het weekeinde, als hij geen dienst had.

Toen Francine naar bed was gegaan, ging Elsie terug naar huis. Merlijn lag verongelijkt in de bench te piepen, Sandra had een briefje neergelegd dat ze met een paar meisjes van school een hamburger was gaan eten. Ze wist niet hoe laat ze terug zou zijn. Elsie liet de hond uit. Voor een kleine pup was dat wel een keer of tien per dag nodig, tot hij zindelijk zou zijn en zijn plasjes kon ophouden tot hij naar buiten mocht. Daarna zette ze hem in de auto, zo zou hij aan zoveel mogelijk situaties wennen. In de supermarkt haalde ze alles wat ze nodig had voor het avondeten. Daarna ging ze naar de boekwinkel voor het boek over het opvoeden van een jonge hond, dat Gre haar had aangeraden. Meteen daarna liep ze bij Thomas langs. Die was net wakker, zo bleek. Het was al bij drieën, ze moest opschieten, want ze wilde de boel nog een beetje aan kant maken voor de gasten zouden komen. Ook Thomas nam de uitnodiging met graagte aan.

Toen Elsie even later onder het stofzuigen liep te zingen, schrok ze er zelf van.

Het werd een gezellige avond, wonder boven wonder. Over wat Francine mogelijk moest ondergaan, werd niet gesproken. Devil leek in eerste instantie een beetje van dat piepkleine hondje te schrikken en ging achter zijn baas zitten. Ze moesten er allemaal om lachen en het ijs was meteen gebroken. Sandra grinnikte om het etentje van haar moeder, wilde niet als het beroemde vijfde wiel aan de wagen aan tafel schuiven en mompelde dat ze een goede smoes had om zich lekker te gaan bezondigen aan een patatje oorlog. Elsie was trots op haar dochter. Ook Sandra leek de ergste klap inmiddels weer te boven te zijn. Het leven begon zijn gewone gang te hernemen en als er nu niets aan de hand was met Francine, konden ze over een paar dagen opgelucht over de drempel van het nieuwe jaar stappen.

Thomas had zijn moeder gebeld. Hij was om precies tien minuten voor drie 's nachts geboren. 'Ook toen was ik kennelijk al een nachtuil,' was zijn commentaar. Ze schreef de datum, tijd en geboorteplaats op.

'Strikt ze jou ook al voor die vreemde hobby van haar?' vroeg Thomas gemoedelijk aan Beer, die zich hoofdzakelijk met Francine of de honden bemoeide. Ook Beer werd gevraagd om zijn geboortegegevens.

'Wat is nu eigenlijk het verschil tussen een echte astroloog en jou als hobbyist?' wilde Beer weten.

'Een scherpe scheidslijn kun je niet trekken. Iedereen kan een bordje 'astroloog' naast de voordeur spijkeren, zelfs jij. Een beroepsastroloog is ook uit liefhebberij begonnen, maar heeft als het goed is jarenlang gestudeerd, zodat hij ten slotte zoveel ervaring heeft dat hij of zij er zijn beroep van kan maken. Zelf ben ik er minder serieus mee bezig. De horoscopen worden tegenwoordig berekend op de computer. Ik heb het oude handwerk met sterrentabellen nog wel geleerd, maar computers rekenen foutloos. Ze geven een tekening en de kunst is dan, om die zo goed mogelijk te interpreteren. Een goed astroloog werkt altijd sterk met zijn intuïtie. Voor mij is het interessantste om er een goede karakterbeschrijving uit te halen.'

'We wachten vol spanning af,' lachte Beer en het was de eerste keer die avond dat zijn aandacht volledig op Elsie was gericht. Daarna kwam het gesprek als vanzelf op de roman die Thomas aan het schrijven was.

'Je hebt me gisteren in hoge mate geïnspireerd, Elsie,' lachte deze. 'Ik ben vannacht heel productief geweest en straks ga ik meteen weer verder.'

Beer fronste zijn wenkbrauwen toen hij iets meer hoorde over de inhoud van Thomas' boeken. 'Waar houdt gezonde belangstelling op en gaat die over in ongezond gegluur in andermans privé-leven?' wilde hij weten. 'Ikzelf lees nooit erotische boeken, omdat er niets opwindender is dan de werkelijkheid, maar mensen verschillen en ik weet dat een heleboel mensen opwinding voelen bij het zien van films of het lezen van passages zoals jij die kennelijk schrijft.'

Thomas vond dat alles viel onder de noemer van oprechte belangstelling, Beer was van mening dat in dergelijke zaken de grens naar hinderlijke nieuwsgierigheid flinterdun was. Net toen de mannen zich in de stellingen van hun mening hadden verschanst en Elsie zich afvroeg hoe dat verder moest gaan, kwam Sandra thuis en werd Merlijn wakker. Hij deed onbekommerd zijn zoveelste plasje op de plavuizen en Devil kwam voor de open haard vandaan om uitgebreid aan het onverwacht lekkere luchtje te snuffelen. Elsie dweilde de nattigheid op en Beer kwam overeind om even met Devil naar buiten te gaan. Elsie nam Merlijn ook maar even mee.

'Mag ik je een goede raad geven, Elsie?' begon Beer zodra ze een paar stappen van het huis waren. 'Kijk uit voor die kerel. Hij heeft meer belangstelling voor het intieme leven van mensen dan gezond is.'

Ze meende, dat hij jaloers was op een gevierd en bekend auteur als Thomas en verborg haar ergernis daarover.

Het zou nog lang duren voor ze zich deze woorden van Beer herinnerde.

7

Het viel niet mee voor Francine. Toen ze uit de narcose kwam, was haar borst afgezet. Ze huilde hete tranen van angst en ook over de schending van haar lichaam, het lichaam waarop ze altijd zo trots was geweest. Elsie zat sprakeloos aan haar bed en hield haar hand vast, tot Beer haar meenam en zei dat Francine in goede handen was en veel rust nodig had. Morgen zouden ze terugkomen, zij kon met hem meerijden.

Weer thuis had ze echt een paar glazen wijn nodig. Sandra werd stil toen ze het nieuws hoorde. 'Gaat tante Francine ook dood, mam?' wilde ze met een bleek snuitje weten.

'Natuurlijk niet.'

'Er sterven veel mensen aan kanker.'

'Bij tante Francine zijn ze er vroeg bij en tegenwoordig kunnen ze heel veel, Sandra. Het komt vast goed met Francine.'

'Mam, denk jij nog vaak aan pap?'

Ineens zat ze midden in een gesprek met haar dochter, een gesprek dat ze misschien al maanden eerder had moeten hebben, maar dat ze steeds maar voor zich uit geschoven had. Nu kon ze het niet langer ontlopen. Ze nam nog een glas wijn.

'Je drinkt veel, de laatste tijd,' zei Sandra, maar meteen stapte ze over op iets anders. 'Mam, ik ben verliefd geworden op Joost, maar nu ben ik zo bang. Ik bedoel, als je een vriend hebt, wil die bepaalde dingen van je... en ik wil nooit meer moeten doen, wat ik voor pap moest doen. Begrijp je dat?'

Ze schrok enorm. 'Natuurlijk. Het ergste gevolg van misbruik is, dat het voor de slachtoffers moeilijk is geworden om nog op een gezonde manier om te kunnen gaan met de liefde. Ik weet niet goed wat ik hier op moet zeggen, lieverd. Als je van elkaar houdt, komt het verlangen om met elkaar naar bed te gaan meestal vanzelf, maar bij jou is er nogal wat beschadigd. Het is moeilijk te zeggen hoe je erop zult reageren. Het hangt ook van je vriendje af,' zei ze ongekend eerlijk, omdat ze niet wist wat ze anders moest zeggen. Ook was ze bevangen door de plotselinge angst dat verkeerd gekozen woorden nog meer schade zouden aanrichten.

'Je bent nog erg jong, misschien moet je gewoon de tijd nemen. Als alles wat meer gesleten is, krijgt het een plaats en kun je je misschien weer openstellen voor een man. Een goede liefdesrelatie kan veel geluk brengen in een leven, een slechte heel veel verdriet. Misschien moet je het aan de psycholoog vragen.'

'Maar dat is een man! Daarom kan ik hem niet alles vertellen, begrijp je dat? Eigenlijk wil ik stoppen met die bezoekjes. Ik schiet er niet veel mee op, mam. We hebben alles een paar keer doorgesproken, ik vind het nog steeds verschrikkelijk om erover te praten. Ik heb er genoeg van om alles steeds maar op te rakelen. Ik wil het zo langzamerhand achter me laten.'

'Als je dat liever hebt, vragen we oom Bram of je naar een vrouwelijke psycholoog kunt.'

'Later misschien, mam. Nu heb ik er gewoon genoeg van. Ik wil net zoals andere meisjes zijn. Dat kan niet als ik steeds maar achterom blijf kijken.'

'Je kunt er ook met tante Gre over praten.'

'Nee. Ik zeg toch, dat ik zo langzamerhand genoeg gepraat heb? Ik vraag me alleen af of ik het meteen aan een jongen moet vertellen, als ik verkering krijg.'

'Niet meteen, wel als het aan blijft en serieuzer wordt. Maar meteen... nee, dat zou ik ook niet doen. Als ik weer een vriend zou krijgen, vertel ik hem ook niet bij het eerste afspraakje alles over pap.'

'Dank je, mam. Daar heb ik wat aan. Joost is echt heel leuk, hoor.'

'Geniet maar weer een beetje van het leven. Misschien is het goed om met de psycholoog te stoppen, tot je zelf het gevoel hebt dat het weer zinvol is. Zullen we dat afspreken? Neem Joost eens een keertje mee naar huis, ik wil graag met hem kennismaken.'

Ineens waren ze weer gewoon moeder en dochter. Een molensteen leek van Elsie af te vallen. Ze glimlachte en nam een flinke slok wijn. Ze ontspande. Dit was moeilijk geweest, maar tot haar verrassing gaf het ook een goed gevoel zo vertrouwelijk met Sandra te praten.

'Als we verkering krijgen. O mam, ik ben verliefd op hem, maar ik weet niet eens of hij mij wel ziet staan.'

Ineens was Sandra weer zestien, bijna zeventien inmiddels. Elsie pakte de riem van Merlijn. Het was tijd om hem een plasje te laten doen.

Het waren drukke dagen rond de jaarwisseling. Om de andere dag zocht ze Francine op in het ziekenhuis. Op oudejaarsavond was ze uitgenodigd bij Bram en Gre, maar die uitnodiging had ze vriendelijk afgeslagen. Ze had altijd een goede verstandhouding met ze, maar ze wilde niet dat ze te nauw betrokken raakten nu ze zo'n moeilijke periode doormaakte. Uiteindelijk was Bram nog altijd haar huisarts. Er moest toch enige afstand zijn, anders kon hij geen objectief oordeel hebben.

Ze ging vroeg in de middag met Sandra een poosje naar haar ouders, want die voelden zich snel een beetje alleen op zulke dagen. Na een herseninfarct twee jaar geleden had haar moeder slechte ogen gekregen, sinds die tijd vond ze het moeilijk om haar dagen te vullen. Haar vader had vaak maagpijn en werd dan moeilijk in de omgang. Soms voelde Elsie zich schuldig dat ze niet meer tijd bij hen doorbracht, maar ze had toch ook haar handen vol aan haar eigen leven. Haar ouders luisterden wel, toen ze over haar vriendin vertelde, maar brachten het gesprek al snel weer op zichzelf. Van haar schoonouders hoorde ze maandenlang niets meer. Ze kon het niet opbrengen om hen zelf te bellen, zolang haar nog werd verweten dat Arend die dingen alleen had kunnen doen omdat hij bij haar tekort gekomen was en ze dus, in hun ogen, haar plicht had verzaakt. Ergens begreep ze wel, dat zij ook behoorlijk in de knoop zaten en dat het gemakkelijker was om de schuld op een ander dan op hun eigen kind te schuiven. Maar er waren grenzen aan wat Elsie wilde accepteren. Misschien zou ze hun een keer over Sandra vertellen, maar daar was ze nog lang niet uit.

Toch was haar leven niet leeg geworden na de dood van Arend en de dingen die vlak daarvoor waren gebeurd. Ze had Francine en ze was graag alleen, zeker de laatste tijd. Ze was net begonnen een lekkere warme trui voor Sandra te breien en moest nog naar de horoscopen van Beer en Thomas kijken en ook naar de aspecten van de komende maanden in die van Francine. En dan was er Merlijn die haar aardig bezighield. En op alle moeilijke momenten was er de wijn.

Ze was in de afgelopen week twee keer met Gre wezen wandelen, samen met de honden natuurlijk. Merlijn vond het heerlijk om met zijn broertje in het zand te ravotten of te vechten om een stok.

Sandra besloot na het bezoek aan haar grootouders alsnog met een paar andere jongelui de oudejaarsavond door te brengen in een muziekcafé waar altijd veel leeftijdgenoten kwamen. 'Vind je het niet erg, mam?' vroeg ze, bezorgd om Elsie.

'Natuurlijk niet,' stelde deze haar meteen gerust, want ze was zo opgelucht dat Sandra het grote drama van het afgelopen jaar kennelijk begon te verwerken. Zelf kroop ze gewoon lekker lui voor de televisie, zei ze. Ze zou Thomas misschien kunnen vragen een fles champagne met haar te komen delen. Ze kon ook alleen blijven. Het was tenslotte een avond van bezinning en na alles wat haar overkomen was, had ze daar toch ook behoefte aan.

Vroeg in de oudejaarsavond ging ze eerst naar Francine, die het erg naar vond de jaarwisseling in het ziekenhuis te moeten vieren.

'Over een paar dagen ben je weer thuis,' troostte ze.

'Ik zie zo tegen de komende maanden op, Elsie. Eerst chemokuren, dan een paar weken lang elke dag bestralen. Dat kost zeker nog een half jaar en dan nog is het maar afwachten, of alles weg is.'

'Je blijft voorlopig goed onder controle en ze waren er vroeg bij, lieverd. Je hebt goede kansen om weer helemaal gezond te worden.'

'Dat weet ik, maar toch, ik voel me zo'n verminkte vrouw, eigenlijk voel ik me helemaal geen vrouw meer. Ik was het alleen zijn nog niet beu, na een slecht huwelijk heb je dat nu eenmaal, maar nu denk ik dat ik nooit meer een man wil, uit schaamte voor mijn lijf.'

'Een man die van je houdt, kijkt daar niet naar.'

'Beer misschien niet, maar een man als Thomas zou nooit genoegen nemen met een 'halve vrouw'.'

'Heb je er dan aan gedacht, dat een van beiden meer voor je zou kunnen gaan betekenen?'

'Nee, natuurlijk niet. Die Thomas heeft iets over zich waardoor een stemmetje in mijn binnenste zegt: wees op je hoede. Beer is een schat, daar niet van, maar hij is meer een lieve broer en niets meer.'

Ze dacht daar nog over na toen ze weer naar huis reed. Misschien had Francine gelijk en was Thomas' interesse in seks overdreven. En Beer, ja, dat was inderdaad een goedige lobbes, net als die hond van hem. Zijn bijnaam verdiende hij, maar een knuffelbeer? Nou nee.

Merlijn jankte en piepte in de bench. Hij zat er niet graag in, maar als ze wegging en ook 's nachts was hij daar veilig in opgeborgen. Een hond bevuilde zijn nest niet. In de bench deed hij niets, maar zodra hij losliep plaste en poepte hij onbekommerd waar het hem maar uitkwam. Steeds als ze hem even zag snuffelen, zette ze hem buiten en de keren dat hij daar toevallig wat deed, prees ze hem de hemel in en gaf ze hem een lekker brokje. 'Kom maar mee, lieverd. We gaan nog even naar het strand, al is het donker.'

Ze had een enorme behoefte aan ruimte en de frisse wind op het strand na de benauwde ziekenhuislucht deed haar goed. Ze liep niet ver, zo alleen in het donker. Een kwartiertje later stond ze weer op de trap boven op de duinen om nog even te kijken naar de lichten op zee en de heldere bijna volle maan boven haar. Toen zuchtte ze en keerde ze om. Het was tijd om zich met wat warms voor de open haard te nestelen. Ze had nog niet gegeten en nu had ze trek.

Francine had er zo bedrukt uitgezien, ze moest oppassen dat ze zich niet liet meeslepen. Beneden aan de trap kwam ze een ouder echtpaar tegen dat een rondje maakte voor het vuurwerk los zou barsten. Elsie begon eraan gewend te raken dat iedereen haar kleine hondje wilde aaien. 'Wat een lieverdje. Wat is hij lekker zacht.' De opmerkingen waren nooit van de lucht. Ze praatten een paar minuten. De maan verdween achter een paar wolken en de duisternis werd dieper. Haar maag borrelde. Ze moest zorgen dat ze thuis kwam!

Diep in gedachten liep ze naar huis. Ze schrok van Devil, die ineens uit het niets voor haar opdook, maar de kleine Merlijn verwelkomde de enorme hond uitbundig. Devil was nog steeds een beetje wantrouwig tegenover zo'n klein hoopje hond. Hij keek vragend naar Beer, wiens ogen oplichtten toen hij zo onverwacht tegenover Elsie stond.

'Ik ben gisteren nog bij Francine geweest,' begon hij.

'Ja, dat vertelde ze. Ik kom er net vandaan.'

Als vanzelfsprekend liep hij met haar mee. Ze praatten over Francine, hij zei te hopen dat de twee vriendinnen nu snel een keer bij hem kwamen eten. Hij kon niet goed koken, maar hij zou iets bij de Chinees halen. Hij wilde graag iets terugdoen voor het gezellige etentje bij haar thuis, met Kerstmis. Thomas werd niet genoemd, die werd duidelijk niet bij de uitnodiging betrokken. Ze praatten nog wat over Merlijn, over het zindelijk maken, over leren te volgen aan de lijn, leren zitten en afliggen en meer van dergelijke hondenpraat. Elsie stak er niettemin heel wat van op.

'Als het goed is, heb je mijn nummer,' lachte Beer toen ze een paar minuten later bij Elsie's hek stonden. De uitgeputte Merlijn was inmiddels op Elsie's arm in slaap gevallen.

'Als ik vragen heb, zal ik je bellen,' beloofde ze. Toen zijn ogen betrokken, besefte ze dat hij wat anders had gehoopt. Maar hij had kinderen, hij hoefde zich toch niet alleen te voelen op oudejaarsavond?

Ze ging terug naar huis.

Ze schoof een kant-en-klaarmaaltijd in de magnetron. Sandra was inmiddels vertrokken. Voor het eerst in mijn leven ga ik het nieuwe jaar alleen in, mijmerde ze. Waarschijnlijk wel voor het eerst en niet voor het laatst, zei een stemmetje diep van binnen. Ze at de maaltijd zonder veel smaak op. Wat zou ze gaan doen? Met een smoes bij Thomas langsgaan of hem bellen? Nee, dat stond zo zichtbaar eenzaam en Francine had gelijk, met een man moest je toch enige voorzichtigheid in acht nemen.

De televisie bood aardige programma's maar ze was er niet voor in de stemming. De tijd duurde eindeloos lang. Ze liep haar tuin in en staarde over de zee. Hier en daar waren lichten te zien en ook de vuurtoren van Haamstede wierp zijn lichtbundel met ijzersterke regelmaat over de kop van Schouwen. Ze werd er vredig van. In die donkere nacht dacht ze ineens intens aan Arend.

Miste ze hem nu? Ach, al haar gevoelens werden overschaduwd door de gebeurtenissen van zijn laatste twee dagen, maar als ze die wegdacht... Ze had zich redelijk gelukkig gevoeld in haar huwelijk, dat was waar. Al was ze nog zo blind geweest voor wat hij achter haar rug had uitgespookt. Ze had niet beter geweten of hij was ook tevreden met hun leven. Zijn zaak floreerde. Ze gingen twee keer per jaar op vakantie, Sandra kon goed meekomen op school, ze deed het goed op het gym en zou waarschijnlijk gaan studeren.

Maar alles was veranderd. Er was inmiddels een nieuwe directeur aangesteld op de zaak. Ze had twee dagen geleden bericht gekregen van haar accountant, dat er een aantrekkelijk bod op de zaak was uitgebracht. Als ze die verkocht, zou er een aardig bedrag op haar bankrekening worden gestort. Financieel had ze geen enkele zorg en toch was ze allesbehalve gelukkig. Net als Sandra had ze de ergste schok inmiddels verwerkt. Ze had afstand genomen van haar huwelijk. Ze had voor eens en voor altijd geleerd, dat mensen niet waren wat ze leken, dat je iemand nooit honderd procent kon vertrouwen en ook, dat geld niet gelukkig maakt. Het was een bitter testament, in deze koude nacht. Ze was een stuk cynischer geworden dan ze vroeger ooit voor mogelijk had gehouden. Ze redde zich, alleen. Ze kon haar leven inhoud geven door een goede moeder te zijn voor Sandra. Misschien kon ze 's zomers een beetje les geven aan toeristen, workshops van een dag, gewoon aan huis. Veel mensen wilden best wat meer weten over hun sterrenbeeld en over hoe een horoscoop nu eigenlijk in elkaar zat. Het zou haar onder de mensen brengen, mensen die ze niet kende. Het bleef een kwelling om naar het dorp te gaan voor boodschappen, maar eens zou dat gevoel minder worden. Als ze twee glaasjes wijn dronk, ging het wel. Als ze zich rot voelde, nam ze ook wat wijn. Ze had de pillenpot van Bram niet meer nodig. Hij vond haar flink en had bewondering voor haar, maar ze vertelde hem niets over haar twijfelachtige oplossing voor de vele moeilijke momenten. Sandra had opgemerkt dat ze veel dronk, dat was akelig. Thomas niet, maar die kon hem immers zelf ook stevig raken.

Ze slenterde heen en weer, Merlijn scharrelde om

haar heen. De tuin was hem inmiddels helemaal vertrouwd.

Was ze eenzaam? Vroeg ze zich af. Soms, maar waarschijnlijk waren de meeste mensen dat. Hoe stond ze er nu eigenlijk tegenover, dat Arend een einde aan zijn leven had gemaakt? Hoe zou ze eraan toe zijn geweest, als hij was blijven leven? Ze zou vast in een goedkoop huurhuis hebben gewoond, waarschijnlijk in Zierikzee. Of misschien was ze wel naar de grote stad gevlucht, als de mensen veel hadden gepraat. En dan zou er de rechtszaak zijn, Arends zaak. Misschien zou de zaak wel failliet zijn gegaan met een baas die in het gevang zou komen. Zelf had ze een baan moeten zoeken, alles aan moeten pakken waar ze maar wat mee verdienen kon. In zekere zin moest ze Arend dankbaar zijn voor het offer dat hij had gebracht, toen hij zijn leven beëindigde. Voor haar was het gemakkelijker nu, dan wanneer hij was blijven leven. Nu was er veel bedekt gebleven. De mensen hadden eerder medelijden met haar dan iets anders, dat wist ze best, dat merkte ze op, de schaarse keren dat ze haastig haar boodschappen deed. Geldzorgen had ze niet. Ze hoefde er niet wakker van te liggen hoe over een paar jaar Sandra's studie betaald moest worden. Ze kon dingen doen die ze leuk vond, in plaats van de verplichting van een baan waarin ze zich niet thuis voelde. Ze woonde mooi, ze had een dochter en een hond, ze had vrienden. Ze had zelfs een aardige buurman.

Elsie zuchtte. Al die overpeinzingen over hoe slecht ze eraan toe had kunnen zijn als alles anders was gelopen, losten niets op. Al waren er honderd redenen om dankbaar te zijn, zo voelde het niet. Ze was de weg kwijt door alles wat er was gebeurd. Misschien zou ze er verstandig aan doen zelf alsnog naar een psycholoog te stappen.

En midden in die wandeling door haar donkere tuin, kwamen de tranen, eerst aarzelend, met een enkele traan die over haar wang gleed, maar al snel werd het een vloed van tranen. Ze ging zitten op de houten bank voor het tuinhuis en snikte het uit. Ze merkte niet dat Merlijn vragend kwam kijken bij zijn vrouwtje. Ze voelde zich totaal verlaten en er moesten een heleboel gevoelens uit, die ze wekenlang, nee, maandenlang had onderdrukt.

Toen ze een half uur later verkleumd weer naar binnen ging, was ze uitgeput. Opluchting was er niet, alleen een tergende vermoeidheid. Ze maakte een beker warme koffie, nam nog een glas wijn dat ze met drie grote teugen achterover sloeg en zat toen bibberend voor de brandende open haard met Merlijn in haar armen.

Het hondenlijfje dat zich tegen haar aan drukte, bracht haar ten slotte weer bij haar positieven.

'Ik heb me laten gaan,' vertelde ze haar harige kameraadje. Voor het eerst in haar leven ervaarde ze de enorme troost die een huisdier kon geven, het altijd luisterende oor dat nooit iets terugverlangde, een warme lik over haar hand die haar bemoedigde. Ze snikte nog even na en knuffelde de hond. 'Gre had het goed gezien, maatje. Ze heeft me een grote dienst bewezen door jou aan mij te geven.'

Hij kwispelde uitbundig en toen ontdekte Elsie dat ze opgelucht was en dat het gevoel van eenzaamheid weer verdwenen was.

Moe kroop ze op de bank. Met Merlijn in haar armen sliep ze een uurtje.

Een angstig gepiep maakte haar wakker. Buiten klonk het bekende geknal, dat voor het kleine hondje echter volkomen nieuw was. Ze suste hem. Ze wist inmiddels van Beer, dat ze zijn angst niet moest belonen, maar moest doen alsof al die rare geluiden heel gewoon waren. Uiteindelijk piepte hij niet langer en begon weer te kwispelen. Ze keek met Merlijn in haar armen naar de vuurpijlen, die hier en daar de lucht in geschoten werden. De jaarwisseling hier was heel anders dan in de stad.

Ze belde Francine, en daana Sandra, die zei om een uur of twee terug te zullen zijn, ja, ze had haar sleutel bij zich en als ze thuiskwam zou ze Merlijn nog even in de tuin laten plassen. Toen ging de bel. Thomas stond op de stoep, misschien een beetje aangeschoten, hij zwaaide met een halflege champagnefles. 'Lieve buurvrouw, ik wil je graag een heel gelukkig nieuwjaar toewensen.' Hij zoende haar, eerst op de wang en toen, speels maar nadrukkelijk, vol op de mond. Ze deinsde er toch voor terug, liet zich de champagne smaken en dacht toen, dat ze zich niet moest aanstellen. Thomas had wat te veel op, dat was alles. Hij was nu eenmaal een man die absoluut ongeschikt was voor een monnikenleven. Dat wist ze toch?

'Ik wist niet dat jij ook alleen was, vanavond?' zei ze zo neutraal mogelijk.

'Dat was ik ook niet. Ik ben naar een kroeg geweest en dat was best gezellig, maar ineens dacht ik aan jou. Je was telefonisch in gesprek, dus besloot ik zelf even langs te gaan. Zullen we samen nog even uitgaan? De avond begint uiteindelijk pas.'

'Voor jou, ja, maar niet voor mij. We drinken een glaasje en dan ga ik naar bed.'

'Ik wil je daar graag gezelschap houden.' Zijn ogen twinkelden.

Dat kon ze zich voorstellen, maar nee, bedankt, zij had heel andere gedachten over naar bed gaan met een man. Ze was lange jaren getrouwd geweest met Arend en daarvoor was er nooit een ander geweest met wie ze zover was gegaan. Ze zou nu heus niet de koffer in duiken met de eerste die aangaf dat te willen. Met veel meer bravoure dan ze van binnen voelde stak ze haar hand op. 'Als je niet alleen in bed wilt liggen, zoek je maar ergens anders gezelschap, Thomas ten Doorenhof. Ik duik niet zomaar met iedereen de koffer in.'

'Ik ben niet iedereen,' meesmuilde hij. Zijn ogen glommen. Hij genoot van dit kat-en-muisspelletje, dat was duidelijk. Ineens voelde ze zich onbehaaglijk in zijn gezelschap.

'Volgens mij denk jij te vaak aan dergelijke dingen. Het zou gezond zijn je op andere zaken te richten. Dan zou er ook meer evenwicht komen in je boeken.'

'Heb jij ze gelezen?'

'Om je de waarheid te zeggen, eergisteren heb ik een boek van je gekocht. Ik ben erin begonnen, maar al na twee hoofdstukken begonnen de gebeurtenissen in de slaapkamer me te vervelen.'

Hij boog zich onmiddellijk voorover. 'Vertel me dan eens wat jij graag wilt in de slaapkamer?'

'Thomas! Ben je door de molen geraakt? Als ik jou iets aan je neus hang, staat dat meteen in je volgende boek.'

Hij grinnikte geamuseerd. Hij hield van dit soort uitdagende gesprekken. Hij vulde de champagneglazen bij. 'Kijk, ik hou van vrouwen. Maar ik beleef niet genoeg om mijn boeken mee te vullen, daarom praat ik er graag met anderen over. Dat begrijp je toch wel?'

'Ik denk dat je van je kroegmaten meer zult horen, dan van een vrouw die weduwe is geworden na een lang en deugdzaam huwelijk.'

'Je had een man die van wanten wist en helemaal niet zo deugdzaam was, lieverd. Ik heb natuurlijk gehoord wat hij met die meisjes heeft gedaan. Iedere man heeft graag jonge meisjes die verder nog geen ervaring hebben. Het is niet goed om ze te dwingen, dat is logisch, maar elke kerel zou een knap jong grietje overhalen als hij daar de kans voor kreeg. Je bent modern genoeg om dat te begrijpen, Elsie. Het zal heus niet de eerste keer zijn dat hij naar jonge meisjes keek.'

Hij boog zich voorover en zonder het te merken gleed zijn tong over zijn vlezige lippen, alsof hij ze letterlijk aflikte bij zo'n spannende gedachte. Wat voor hersenspinsels had hij?

Met een grote klap belandde Elsie op aarde. Ze zag

Thomas zoals ze hem niet eerder had gezien. Ze zette het nog halfvolle champagneglas met een bruuske beweging op tafel. 'Zo is het wel genoeg. Thomas, het lijkt me verstandig als je de rest van die fles thuis opdrinkt. Ik wil gaan slapen. Alleen!'

'Hè toe nu, je stelt me teleur.'

Dat was wederzijds, maar ineens besefte ze niet mee te willen spelen met het spelletje dat hem zo behaagde. 'Ik meen het. Sandra komt zo thuis, Merlijn moet er nog even uit nu de herrie weer voorbij is en morgen moet ik al vroeg op.'

'Goed, goed, ik loop wel even met je mee.'

Voor het eerst sinds ze hem had leren kennen – was dat werkelijk nog maar zo kort geleden? – was ze waakzaam en vond ze zijn gezelschap niet prettig. Hier liepen ze, ongezien en midden in de donkere nacht. God, wie weet wat hij allemaal zou kunnen uitspoken? Arend was geen uitzondering geweest, er waren genoeg kerels die de katjes graag knepen in het donker. Ze hyperventileerde en kreeg een angstaanval, net als op de dag dat ze Beer op het strand had ontmoet.

Het zweet brak haar uit. Zodra ze bij het hek waren, nam ze Merlijn op. 'Welterusten, Thomas. Tot ziens.' Ze hoopte dat het had geleken alsof er niets aan de hand was.

Opgelucht deed ze twee minuten later de deur achter zich dicht. Daarna voelde ze of alles goed op slot zat. Opnieuw moest ze huilen, maar nu van opluchting. Ze was alweer een illusie armer, dacht ze cynisch.

Ze kon nog niet slapen, en maakte een kop sterke koffie. De aangebroken fles wijn goot ze leeg in de gootsteen.

8

Op nieuwjaarsdag gingen Elsie en Sandra nog even langs bij haar ouders. Ze voelde zich moe en verslagen en zat gespannen achter het stuur, na een nacht met maar een paar uurtjes onrustige slaap. Gelukkig was het maar een kilometer of tien rijden. Dit keer vond ze het verplichte nieuwjaarsbezoek een hele opgave.

Ze deed haar best er vrolijk en opgeruimd uit te zien en de klaagzangen van haar vader naast zich neer te leggen, maar het viel niet mee. Juist al die onderdrukte en onderliggende emoties vroegen zoveel energie.

Ze hoorde van hen dat haar schoonouders al voor de kerst naar Oostenrijk waren vertrokken, dat hadden ze die morgen in de kerk horen vertellen, om zo moeilijke toestanden te ontlopen. Daar was Elsie vandaag maar al te blij om.

Bij haar ouders nam ze een enkel glaasje wijn, anders zou ze een van de kalmerende pilletjes moeten nemen. Toen ze halverwege de middag weer thuis kwamen, was ze doodmoe.

'Wat een klus, hè mam? Vroeger ging ik best graag naar opa en oma, maar nu niet meer. Jij voelt dat net zo, volgens mij?'

'Ja, lieverd. Ik ben er moe van. Ik ga even een uurtje liggen.'

'We zijn gisteren geweest en vandaag weer, nu hoef ik voorlopig toch niet meer mee? Ik ga met Merlijn een lekkere wandeling maken.'

Elsie nam twee flinke glazen wijn zodra het meisje

weg was en ging daarna een poosje op de bank liggen. Aan eten wilde ze niet denken, ze zouden wel een patatje halen of anders bakte ze een uitsmijter.

De volgende dag ging ze weer naar Francine.

'Je ziet er betrokken uit,' stelde haar vriendin vast.

'En jij juist een heel stuk beter,' pareerde Elsie.

'Ik ben het ergste weer te boven. De dokter heeft me verzekerd, dat mijn kans om weer helemaal beter te worden erg groot is. Volgens hem is alles weggenomen en dienen de chemokuren en de bestralingen eigenlijk voornamelijk om het risico zo klein mogelijk te maken.'

'Zo heb je niets en zo hangt je leven aan een zijden draadje.'

'Ben je eigenlijk wel in orde?'

Ze zei dat ze erg moe was, dat ze vanmorgen ongesteld was geworden en daarom een beetje hoofdpijn had, dat ze al twee nachten slecht geslapen had en ten slotte, aarzelend, vertelde ze over Thomas' gedrag in de nieuwjaarsnacht.

Francine knikte nadenkend. 'Ik denk wel dat hij het goed bedoelt, maar zijn interesse in seksuele aangelegenheden is overdreven groot, Elsie, en een mens kan niet voorzichtig genoeg zijn.'

'Juist na wat me met Arend is overkomen, bedoel je? Inderdaad.'

'Je kent hem nog maar pas. Laat het contact gewoon weer verwateren, zou ik zeggen. Zeg hem gedag, maak een beleefd praatje buiten je tuinhek, maar nodig hem niet meer uit in je huis en ga ook niet in op uitnodigingen van zijn kant. Dan zal zijn belangstelling gauw genoeg weer verslappen en zoekt hij een ander slachtoffer, dat er misschien wel plezier in heeft, zijn belangstelling te delen.'

'Bah, ik ben niet verder gekomen dan de eerste twee hoofdstukken in zijn boek. Toen had ik er al meer dan genoeg van.'

'Gooi het dan weg, al is het duizend keer een literair

hoogstandje dat door de heren critici de hemel in wordt geprezen,' raadde Francine haar aan. Daarop barstten de twee vriendinnen uit in een meisjesachtig gelach.

'Doe ik,' hikte Elsie na een poosje. 'Weg met Thomas ten Doorenhof! En als hij weer met die kop van hem op de televisie verschijnt, zap ik snel door naar een ander net.'

Een paar dagen later mocht Francine naar huis. In het ziekenhuis had ze zich de vorige dag nog een hele piet gevoeld, maar eenmaal thuis bleek al snel dat de operatie en alle spanningen, haar krachten meer hadden ondermijnd dan ze voor had gedacht. Gelukkig had ze een werkster, en ze kon het zich veroorloven om extra hulp te nemen. Ze liet haar boodschappen thuisbezorgen en maakte het zich gemakkelijk door uit eten te gaan of kant-en-klaarmaaltijden in de magnetron warm te maken. Elsie kwam een paar keer voor haar koken, omdat ze vond dat Francine juist gezond moest eten, met veel verse groenten en fruit.

Beer liet zich ook regelmatig zien en vroeg elke dag of hij iets voor Francine kon doen. 'Volgens mij heeft hij een oogje op je,' zei Elsie. Zij zag hem een keer of drie en vond zijn bezorgdheid om Francine roerend.

'Beer? Ben je zot, die gedraagt zich alsof hij mijn broer is en ik laat me dat met graagte aanleunen, juist omdat er niets anders in het spel is. Uiteindelijk heb ik praktisch geen familie, met mijn moeder helemaal in Zuid-Frankrijk. Nee hoor, als Beer al in een vrouw geïnteresseerd is, is het in jou.'

Daar schoot Elsie hartelijk van in de lach. 'Spaar me, zeg!'

'Ik meen het. Hij vraagt elke dag of jij nog komt en volgens mij doet hij zijn best om jou zoveel mogelijk tegen het lijf te lopen.'

Elsie schudde slechts het hoofd.

Al na een week werd Francine sterker. Ze praatte het liefst over koetjes en kalfjes. Net als Elsie vond ze het moeilijk om te praten over wat haar van binnen het diepst beroerde.

Elsie stelde op een zaterdag in de tweede helft van januari voor, samen een tochtje in de auto te gaan maken. Het was zonnig, licht vriezend weer, een heerlijke winterdag. Ze vond dat Francine veel te bleek zag van het vele binnenzitten. Het werd tijd voor een wandelingetje in de buitenlucht, al was het maar tien minuten.

Eerst leek Francine te aarzelen. 'Ik weet het niet, Elsie. Ik denk dat iedereen naar mijn trui zit te gluren, met die ene platte kant, je weet wel. '

'Trek een ruime trui aan, als je je daarin prettiger voelt. Heb je een bh aan? Dan vullen we de lege kant op met zakdoeken.'

Het was de eerste keer dat Francine het erover had. 'Als de wond genezen is, neem ik een prothese.'

'Jammer dat ze geen borstsparende operatie konden uitvoeren.'

'Dat zou in mijn geval een groter risico opleveren dat de kanker terug zou komen. Liever geen borst dan geen leven, dacht ik toen, maar nu heb ik het er moeilijk mee.'

'Weet je nog, dat ik niet naar het dorp wilde, toen Arend er pas niet meer was? Ik dacht dat iedereen me erop aankeek dat hij fouten had gemaakt. En hoewel niemand wist dat er ook met Sandra nare dingen zijn gebeurd, dacht ik dat iedereen dat in mijn ogen las. Ik begrijp je angst, Francine. Ik heb het net zo gevoeld. Het was slim van Bram en Gre om me Merlijn cadeau te doen. Toen moest ik wel vaak naar buiten. Ik heb hem nu bijna vier weken en soms loop ik op straat en denk ik ineens stomverbaasd: Hé, ik vraag me helemaal niet meer af wat de mensen van me denken. Ik wil met dit alles maar zeggen, dat ook jij op een goed moment zult ontdekken dat je er niet meer aan denkt dat de mensen misschien naar je trui zitten te staren.'

'Zou het?' vroeg Francine onzeker.

'Ja Francine, die dag komt. Kom, laten we gaan, trek een ruime trui en een warme broek aan, met je ruime jack erover. Dan valt er niets te zien. Onder die dikke jas ziet niemand iets.'

Pas toen Francine ten slotte overtuigd was, knikte ze. 'Goed dan, mijn verstand zegt dat je gelijk hebt, al wil mijn gevoel er nog niet in mee. Ik wil inderdaad graag weer eens iets anders zien, dan de muren van mijn huis of het ziekenhuis.'

Ze stapten in Elsie's autootje. Op hun gemakje tuften ze over de zeedijk in de richting van Zierikzee. Ze genoten allebei van de heldere lucht boven zee en het stralende zonlicht op het zilverkleurige water.

'Rijd de stad maar door, maar ik ga er niet uit,' liet Francine weten.

Elsie parkeerde op het marktplein. 'Ik wil graag even een paar tijdschriften kopen,' zei ze, 'en Merlijn moet even tussen de mensen lopen, als je het niet erg vindt.'

'Goed hoor, ik wacht wel.'

Ze ging een boekwinkel binnen en kocht een drietal tijdschriften. Merlijn kwispelstaartte enthousiast voor iedereen die hem wilde aaien. In de winkel droeg ze hem op haar arm. Daarna reed ze snel de stad weer uit, in de richting van Schuddebeurs. Hier probeerde ze het opnieuw. Ze zette de auto op een parkeerplaats naast een van de grote buitenhuizen van het dorp. 'Laten we even door het bos hierachter wandelen. Het is onwaarschijnlijk dat we hier iemand tegenkomen.'

Er stonden geen andere auto's op de parkeerplaats, dus Francine knikte.

Ze wandelden een kwartiertje, met Merlijn om hen heen springend. Een paar dagen geleden had hij zijn volledige inentingen gehad en nu mocht hij dus overal komen. Voor een pup was het heel belangrijk om zoveel mogelijk indrukken op te doen.

'Ik heb best trek gekregen in een kop koffie.' Wat Gre voor haar had gedaan, wilde ze zo graag op haar beurt voor Francine doen, maar een hond was aan de ander niet besteed. Francine was een kattenmens pur sang. Ze stapten in de auto, Francine's gezicht betrok. 'We zijn in een kwartiertje weer thuis,' wimpelde ze af.

Elsie reed naar een deftige gelegenheid een eindje verderop. Er was bijna niemand. 'Er zitten geen andere gasten in de serre, en er zitten er maar twee in het restaurant. Voor mijn part hou je je jas aan, als je je daar prettiger bij voelt,' probeerde ze.

'Ik weet het niet.' Francine zag er nu opgelaten uit.

'Ik wil je niet dwingen, maar weet je nog hoe je mij meesleepte naar de winkels en hoe moeilijk ik het toen had?'

Ze knikte. 'Je hebt gelijk, ik weet het, maar toch... ik wil het wel doen, maar als er meer mensen komen, wil ik meteen weer weg.'

'Ik zal de koffie afrekenen als die gebracht wordt, dan kunnen we elk moment opstappen.'

'Goed, we doen het.'

Opgelucht stapten ze uit. Merlijn vond het allemaal reuze interessant en een bak water wilde hij ook wel. Nieuwsgierig ging hij bij de ober kijken en bij de twee gasten die een late lunch namen, duidelijk zakenlui in een druk gesprek. Daarna plaste hij zonder zich te generen op de plavuizen. 'Nu ja!' mopperde Elsie blozend tegen het hondje. 'Dat heb je in het bos toch al gedaan?'

Hij kwispelde vrolijk, iedereen was vertederd, ook de ober en niemand lette op Francine. Deze ontspande weer. Ze bestelden koffie en wat van het heerlijk uitziende gebak. Gelukkig kwam er niemand anders binnen. Toen ze een kwartier later weer naar de auto liepen, blonken er tranen in Francine's ogen. 'Dank je, Elsie.'

'We zijn elkaars beste vriendinnen, meid. In de roerige tijden die wij doormaken is dat een van de belangrijkste steunen die een vrouw kan hebben.'

'Zullen we even bij Beer langs rijden?' stelde Francine

uit eigen beweging voor, toen ze weer dicht bij de duinen waren.

'Goed.'

'Ben je wel eens bij hem geweest?'

'Nee.'

'Hier is het. Ik zal eens kijken of hij thuis is.'

Elsie stopte met gemengde gevoelens. Francine was de auto al uit. Ze zag niet langer zo bleek. Zou ze echt niets voor Beer voelen? vroeg Elsie zich peinzend af. Devil blafte en Merlijn reageerde meteen. Beer verscheen in de garagedeur en er was geen ontkomen meer aan, maar ze moesten natuurlijk even binnenkomen om een glaasje wijn te drinken en o, wat was hij blij met hun bezoek.

Ondanks alles voelde Elsie zich plezierig. Hij was zo duidelijk blij hen te zien. Devil keek wantrouwig naar het kleine hondje dat zo uitdagend om hem heen danste, de grote lobbes was nog steeds een beetje angstig om de kleine pup pijn te doen of zo, maar na een poosje zakte hij speels door zijn enorme voorpoten en mocht Merlijn in zijn oren happen.

Ze dronken een glas wijn en meteen ontspande Elsie zich. Daarna moest ze zijn huis bekijken en vooral ook de tuin waar hij zo trots op was. Zelfs een tweede glaasje wijn sloeg ze niet af, tenslotte was ze bijna thuis. Beer stelde voor dat ze zaterdagavond bij hem kwamen eten, voor vanavond had hij helaas al een interview met iemand die een boek had geschreven over de grote watersnoodramp van 1953, een onderwerp dat in de streek nog altijd volop leefde. Francine hapte meteen. 'Of heb jij al een andere afspraak, Elsie?' vroeg ze schijnheilig.

'Je bent weer helemaal jezelf,' sputterde deze tegen.

'Dat wilde je toch zo graag?'

'Daar heb ik geen weerwoord op. Ik kom graag mee, Beer.'

Hij straalde. 'Neem Merlijn ook mee,' grinnikte hij. Devil rolde nu op zijn rug, met vier poten in de lucht en

Merlijn hing speels aan zijn staart. 'Die twee zijn hard op weg de beste maatjes te worden.'

Een derde glas wijn wees ze af. Ze voelde zich niet langer opgelaten in zijn huis, Francine was weer vrolijk en haar missie van die middag was dus geslaagd.

Weer terug bij Francine thuis, stelde deze voor een pizza te laten bezorgen, ze had nog een zak gemengde sla in de koelkast liggen en ook nog een tomaat. Eenvoudig maar lekker. Omdat Sandra uit school met een vriendinnetje mee zou gaan, nam Elsie de uitnodiging met graagte aan.

'Hiermee kan ik iets terugdoen voor vanmiddag,' glimlachte Francine toen ze twee pizza's had besteld en de sla aanmaakte. Tegen beter weten in nipte Elsie aan een derde glas wijn. Desnoods ging ze straks lopend naar huis! Ze voelde zich inmiddels weer plezierig ontspannen.

Tijdens het eten begon Francine peinzend over haar diepste gevoelens. 'Soms droom ik 's nachts zo eng, Elsie. Ik ben bang dat de kanker niet weg is, maar terugkomt.'

'Ik denk dat iedereen dat heeft, die met die ziekte geconfronteerd wordt."

'Ik voel me zo onzeker, Elsie,' bekende ze moeilijk. 'Mijn uiterlijk is belangrijk voor mij, dat weet je. Gelukkig ben ik niet meer getrouwd, dan is het misschien nog erger.'

'Een man die van zijn vrouw houdt, is blij dat het op tijd is ontdekt, Francine. Die is blij, dat hij zijn vrouw nog heeft.'

'Jawel, dat zegt het verstand, maar het gevoel doet nog niet mee. In het ziekenhuis lag ook een vrouw, bij wie de man wegging, een paar maanden nadat haar borst werd afgezet. Nu moest de andere er ook af en het zag er niet zo best uit.' Francine zuchtte en zweeg een poosje, voor ze verder praatte. 'Ik ben bang. En ik vind het ook moeilijk om te aanvaarden dat mijn lichaam zo is aangetast. We leven nu eenmaal in een tijd die erg op het uiterlijk is gericht. We moeten ons haar verven, want grijs haar staat oud, vinden we. We moeten slank blijven en hongeren zelfs tot we onze gezondheid tekort doen. We moeten bewegen als blijven we voor eeuwig jonge honden. En dan dit. Verminkt, zo voelt het. Ik kan er maar niet overheen komen.'

'Je hebt tijd nodig. Het is allemaal nog maar zo kort geleden.'

Ze knikte. 'Ik weet het, maar ik twijfel of het me ooit zal lukken.'

'Dat begrijp ik. Je weet dat ik het mezelf nog elke dag verwijt, dat ik nooit gemerkt heb dat Arend dingen met Sandra deed die niet door de beugel konden. Daar ben ik ook nog lang niet mee klaar. Ik weet ook wat de meeste mensen denken: zoiets merk je toch als moeder? Ik zou het nog niet zo lang geleden zelf ook hebben gedacht.'

'Precies, en zo voelt het ook met de kanker die ik misschien heb overwonnen, maar misschien ook niet. Ik ben verminkt en straks wordt dat nog erger. Over twee weken krijg ik de eerste chemokuur. Volgende week moet ik naar de pruikenmaker. Het staat nu al vast dat mijn haar zal uitvallen. Daar zie ik vreselijk tegenop. Ik ben altijd gesteld geweest op een verzorgd uiterlijk, maar nu... ik zie het soms niet meer zitten. Ik ben al zo moe van alles en het is nog lang niet voorbij. Nog maandenlang moet ik behandeld worden, eerst elke drie weken een chemokuur, vijf in totaal, daarna bestralen, elke dag naar het ziekenhuis, ook een week of vier, vijf. En dan begint het wachten en de onzekerheid, of het allemaal wel afdoende is geweest. Het toeristenseizoen begint straks weer, dan moet ik mijn galerie weer openstellen. Je hebt er geen idee van hoe ik daar tegenop zie.'

'En werken, schilderen, beelden maken, valt dat je ook zwaar?'

'Nee. Daarin kan ik me uitleven. Bram zegt zelfs, dat

het heel goed voor me is. Mensen met kanker moeten op therapie vaak tekenen om uiting te geven aan wat er in hen leeft.'

'Misschien kunnen we overwegen, of ik niet bij jou kan komen werken. Vrijwilligerswerk, zo moet je het zien, want geld heb ik, gelukkig, genoeg. Je zou de galerie vier middagen in de week open kunnen doen, van woensdag tot en met zaterdag van twee tot vier uur en misschien ook op koopavond. Dat zou niet eens zoveel afwijken van je gewone openingstijden. Ik zou dan als een soort verkoopster hier kunnen zijn. Jij hoeft niemand te spreken als je dat niet wilt.'

'Of ik kan lekker doorwerken als ik bezig ben. Vaak genoeg vond ik het storend als er klanten kwamen. Zou je dat echt willen doen?'

'Ik zou wel wat meer structuur in mijn leven willen hebben. Het mes zou aan twee kanten snijden.' Het zou een reden zijn om van de drank af te blijven, dacht ze in stilte, maar zelfs met Francine wilde ze daar niet over praten.

'Ik dacht dat je workshops astrologie wilde geven.'

'Dat ook, maar niet meer dan drie of vier in het seizoen.'

'Ik zou er wel voor voelen, maar alleen onder de voorwaarde dat ik je er behoorlijk voor betaal, Elsie.'

'Absoluut niet. Ik heb dat geld niet nodig. Laten we het daar niet meer over hebben.'

'En je astrologiestudie dan? Waarom zet je geen praktijk op als astroloog? Je weet er al zoveel van.'

'Het is een mogelijkheid, maar hoeveel klanten zou ik hebben? 's Winters een enkeling, 's zomers wat meer als het hier zo druk is. Maar een beroepsastroloog is nergens goedkoop, omdat het interpreteren van een horoscoop veel kost. Als ik het voor een habbekrats ga doen, zou dat oneerlijke concurrentie zijn voor anderen. Het is voor mij belangrijk meer regelmaat te krijgen in mijn leven, dat in de eerste plaats. Ik verveel me nooit, maar

al mijn bezigheden zijn vrijblijvend.'
'En Sandra?'
'Het lijkt wel of ze steeds meer haar eigen gang gaat. We praten maar heel weinig over wat er in augustus is gebeurd. De bezoeken aan de psycholoog hebben haar in eerste instantie goed gedaan, maar nu wil ze niet meer. Ze is graag bij jou. Als ik hier ben, kan ze meekomen als ze dat wil. Als ze liever alleen thuis is, is het ook goed.'
'We zullen er allebei grondig over na moeten denken, Elsie. Als we dergelijke verplichtingen aangaan, moeten we goede afspraken maken.'
'We doen het een seizoen en bekijken dan in alle eerlijkheid hoe het is bevallen, aan beide kanten.'
'We komen er over een weekje of zo op terug. Er is er nog iets, Elsie. Door alles wat er de afgelopen weken is gebeurd, ben ik geconfronteerd met de eindigheid van mijn leven. Ik heb besloten eindelijk een testament te laten maken, voor als... Jij hebt het goed, maar zou je het goed vinden als ik alles aan Sandra nalaat?'
Ze moest even slikken. 'Ik hoop dat Sandra al heel wat grijze haren heeft, voor het zover is, Francine, maar het is lief van je en ik waardeer het. Het zal voor Sandra heel moeilijk zijn om ooit de erfenis van haar vader te accepteren.'
De ander knikte. 'Ik hoop dus op mijn beurt, dat jij minstens vijfentachtig wordt.' Ze omhelsden elkaar.
Nadat Elsie die avond weer thuis was, stak ze de open haard nog aan. Met Merlijn op schoot staarde ze in het vuur. Uit Sandra's kamer loeide keiharde muziek.

9

Ze besloot naar Francine te gaan lopen en hoopte haar vriendin over te halen om vandaar naar het huis van Beer te lopen, het was uiteindelijk niet meer dan klein half uurtje. Maar Francine wilde er niets van horen. Begreep Elsie dat nu niet? Bij haar was het toch niet veel anders geweest, voor Merlijn in haar leven was gekomen?

Zonder verder aandringen ging ze naast haar in de auto zitten. Een paar minuten later stopten ze voor het huis van Beer, die al op de uitkijk stond.

'Ik heb het een en ander besteld dat zometeen bezorgd wordt. Laten we vast een glaasje wijn nemen,' stelde hij voor.

Merlijn en Devil raceten achter elkaar aan door de tuin en groeven eendrachtig een bloemenperk om, voor Beer zijn hond in de kraag greep en mee naar binnen nam. Merlijn volgde zijn zwartharige maat op de hielen. De honden kregen een kluifje en de rust keerde weer.

'Wilde Sandra niet meekomen?' vroeg Beer toen hij was gaan zitten nadat hij de wijnglazen had gevuld.

'Ze is met vriendinnen op stap en later vanavond willen ze weer naar het muziekcafé, waar ze geregeld komen.'

'Ze is vaak weg, niet?'

Elsie knikte en stelde verwonderd vast, dat Sandra inderdaad veel vaker van huis was dan vroeger.

'Gaat het wel goed met haar?'

'Beter dan ik had durven hopen,' moest ze toegeven.

'Goed, dan piekeren we er niet verder over. Je ziet er

een stuk beter uit, Francine.'

'Ik sterk ook merkbaar aan. Dat moet ook wel, anders kan ik niet met de chemokuren beginnen.'

'Ik wil je altijd naar het ziekenhuis rijden, dat weet je.'

'Elsie is er ook nog, maar ik ben jullie er dankbaar voor. Het is een vreemde gewaarwording ineens afhankelijk te worden van de zorgen van een ander.'

'Het zou onverstandig zijn zelf achter het stuur te kruipen, want je weet nooit hoe je je voelt na zo'n kuur.'

'Zonder jullie had ik een taxi genomen, maar het is prettig om iemand bij me te hebben. Ik zie erg tegen de chemokuren op. Sommige mensen worden er heel ziek van.'

'Ik maak me graag nuttig. Misschien schrijf ik wel een artikel over het ondergaan van chemokuren.'

'Als je mij dan maar niet met vragen bestookt,' reageerde Francine meteen beslist. 'Ik vind dit onderwerp te intiem.'

'Dat respecteer ik, dat spreekt vanzelf. Vertel me eens, Elsie, heb ik er verkeerd aan gedaan jou te eten te vragen zonder je buurman uit te nodigen?'

Zijn directe vraag overviel haar volkomen en ze bloosde als een pioenroos. 'Nee, nee,' hakkelde ze in de war gebracht. 'In het geheel niet. Ik heb de contacten met Thomas zoveel mogelijk op een laag pitje gezet.'

Hij keek verrast. 'Zo? Dat is nieuw voor me.'

'Door zijn genre boeken kun je als alleenstaande vrouw beter voorzichtig zijn,' zei ze zo neutraal mogelijk.

Hij glimlachte. 'Ja, daar kan ik me wel iets bij voorstellen. Op aanraden van Francine heb ik iets van hem gelezen en vorige week zag ik hem ook nog in een literair programma op de televisie, waar ik anders nooit naar gekeken zou hebben. Het draait bij dat heerschap allemaal maar om één ding.'

'Precies, en ik voelde me daar toch niet zo gemakkelijk bij.'

'Er is meer in het leven, nietwaar?'

Ze knikte, maar werd onrustig van de blik in zijn ogen. Voor het eerst vroeg ze zich af of Francine het misschien toch goed had gezien, maar ze zette die gedachte meteen weer van zich af.

Ze praatten daarna over heel andere dingen. Er waren een paar interessante oudheidkundige vondsten gedaan op een naburig eiland en Beer werkte nu aan een artikel daarover. Daarnaast was hij voor de zoveelste keer op dieet gegaan, met pijn en moeite was er inmiddels anderhalve kilo af, maar hij dacht er nu al aan het weer op te geven.

'Accepteer jezelf zoals je bent,' vond Francine. 'Je bent stevig, maar je bent toch ook geen achttien meer.'

'Misschien heb je gelijk. Ik hou te veel van lekker eten met een goed glaasje wijn.'

'Eet dan alles wat je lekker vindt. Of doe als ik. Het enige dieet dat werkelijk helpt is het EDH-dieet,' bracht Elsie in het midden.

Hij boog zich, ondanks zichzelf, meteen voorover. 'Ik heb al van alles geprobeerd, van smakeloze maaltijdvervangers tot punten tellen en pillen aan toe, maar dit dieet ken ik niet.'

Ze grijnsde. 'Het is het meest eenvoudige dieet dat er is. Eet De Helft.'

'Hè ja hoor, en moet ik dan ook nog gaan joggen?'

'Of op de hometrainer, dat mag ook. Ik ken iemand die zo'n ding voor zijn televisie heeft gezet.'

Ze lachten alledrie, toen de bel ging en de partyservice een paar mooi opgemaakte schalen af kwam leveren. Ze schoven meteen daarna aan de smaakvol gedekte tafel.

Het was gezellig. Zelfs Francine kon zo nu en dan hartelijk lachen. Beer bleek een onderhoudend verteller te zijn en zat niet verlegen om anekdotes uit zijn veelkleurige loopbaan.

Midden in een lachbui ging de telefoon. Beer nam op,

en al snel verdween de lach van zijn gezicht. 'Een ogenblikje, alsjeblieft. Nee, meisje, blijf maar kalm. Je moeder is hier.'

Elsie schrok verschrikkelijk. 'Is er iets met Sandra?'

Hij knikte. Ze nam de telefoon van hem over.

'Wat is er, lieverd?'

Sandra huilde. 'Mam, ik ben bang.'

'Wat is er dan?'

'Dat kan ik je niet vertellen, mam, maar ik moest je stem even horen.'

'Ik kom onmiddellijk haar huis.'

'Je hoeft je uitje voor mij niet te onderbreken, hoor,' klonk het meteen schuldbewust.

'Ik kom meteen naar huis. We waren toch al klaar met eten.'

Dat laatste was een leugentje om bestwil, maar Beer knikte. Hij had zijn autosleuteltjes al in de hand en zijn jas viste hij uit de garderobekast.

'Kom mee, ik breng je even, dan kan Francine televisie kijken tot ik terug ben.'

'Natuurlijk. Ga maar, Elsie,' klonk het ernstig.

'Ze is bang, maar ik weet niet waarvoor.'

'Dat is de nawerking van wat ze mee heeft moeten maken, denk ik.'

'Laten we hopen dat het inderdaad niets ernstigers is.'

Ze zat al naast Beer, die meteen startte. Merlijn, die heel graag in de auto zat, was op haar schoot gesprongen. In een paar minuten was ze thuis. 'Ik loop even mee naar de voordeur,' besliste Beer. 'Ik wacht buiten of je me nog nodig hebt. Misschien is er wel wat aan de hand en kan ik nog iets voor je doen. Je woont daar toch erg uit het zicht, Elsie.'

Ze had daar nooit bij stilgestaan, maar dat was inderdaad zo, realiseerde ze zich.

Ze hijgde een beetje toen ze veel te snel naar de voordeur liep. De deur ging al open. Sandra wierp zich huilend in haar armen. 'O mam, ik ben zo blij dat je er bent.

Er stond ineens een naakte vent voor het hek daar.'
'Wat zeg je nu?' Ze was ontzet.
'Het duurde even voor het tot me doordrong dat het de buurman was.'
'Thomas?'
'Ja. Die man kleedt iedereen met zijn ogen uit. Je weet dat ik hem niet mag.'
Beer mompelde dat hij zou gaan kijken of er in de tuin nog iets bijzonders te bespeuren viel en raadde Elsie aan alle ramen en deuren te controleren, samen met Sandra.
'Hij is aardig, mam. Hij doet zulke rare dingen niet.'
Mannen bleven mannen, maar inderdaad, Beer leek de betrouwbaarheid zelve.
'Ik was zo dom om de schuifpui open te doen en toen begon hij tegen me te praten, mam. Die kerel is niet goed in zijn bovenkamer, hoor! Hij stond daar een sigaret te roken alsof het de gewoonste zaak van de wereld was, maar hij moet toch geweten hebben dat hij van daaruit gezien kon worden vanuit ons huis?'
'Hij stond er niet voor jou, lieverd, maar voor mij.'
'Denk je dat, mam? Ik moest ineens aan pap denken, weet je, en aan de akelige dingen die ik voor hem moest doen. Ik droom er nog steeds van.' Sandra begon te huilen. Elsie's blik werd gevangen door de gestalte die in de deuropening was verschenen, kennelijk om te zeggen dat er niets te zien was. De blik in zijn ogen drukte schrik uit. Hij moest de laatste woorden van Sandra hebben gehoord. Elsie gaf Sandra een zoen op haar kruin. 'Blijf hier zitten. Ik ga even tegen Beer zeggen, dat hij terug kan gaan naar tante Francine.' Ze liep naar de deur en hij volgde haar zwijgend tot ze bij de voordeur stonden.
'Misschien begrijp je nu wat beter, waarom ik me zo bezorgd maak om Sandra,' hakkelde ze verlegen.
'Het spijt me dat ik het niet eerder wist, Elsie. Gaat het wel?'
Ze sloeg haar ogen op en hij zag haar tranen. 'Ik voel

me zo schuldig dat ik niets gemerkt heb, Beer. Ik ben haar moeder. Ik had het moeten voorkomen. Maar echt, ik wist van niets.'

Hij pakte haar twee handen vast. 'Toe, nu moet je sterk blijven voor Sandra, maar als ze slaapt en je hebt me nodig, dan kom ik. Bel gerust, al is het midden in de nacht. Sommige dingen zijn te zwaar om alleen te dragen, Elsie.'

'Francine weet er ook van.'

'Francine moet nu een beetje worden ontzien, maar ik ben sterk, meisje.'

'Ja, dat weet ik. Bedankt dat je me zo snel thuis gebracht hebt, Beer.'

'We doen het etentje nog wel eens in alle rust over. Sterkte, Elsie.' Hij kuste haar vlinderlicht op het voorhoofd en maakte toen rechtsomkeert. Drie tellen later hoorde ze de wielen van zijn auto knerpen op het grind. Voor het eerst ervaarde ze de duisternis en de stilte om haar huis als drukkend. Snel haastte ze zich naar binnen.

Sandra zat nog op de bank met Merlijn in haar armen geklemd. Ze had de gordijnen dichtgeschoven. Er was niets meer van de tuin te zien.

'Zal ik aangifte doen bij de politie?'

'Waarover? We leven in Nederland hoor, mam, hier mag immers alles, dus van blootlopen in je eigen tuin zal geen politieagent een verbaal op willen maken. Bovendien wil ik nooit meer met agenten praten. Dat was erg genoeg na paps dood en zij wisten nog niet eens...'

Elsie ging dicht naast haar dochter op de bank zitten. 'Ik ga straks naar hem toe om te zeggen dat hij dat nooit meer mag doen.'

Het meisje rilde. 'Denk je nu echt dat hij zich daar iets van aan zal trekken?'

'Als hij niet wil luisteren, zetten we een schutting op de erfafscheiding. Misschien moet ik dat sowieso doen. We zullen de afrastering van de tuin ook nakijken. Weet je wat, we zeggen gewoon dat het is om te zorgen dat Merlijn niet weg kan lopen. Het is nog waar ook. Hij vindt alle mensen aardig en als het straks zomer is, piept hij zonder moeite tussen de struiken door.'

"Je moest weer aan pap denken, hè?' Ze probeerde het maar. In zekere zin was het gemakkelijk dat Sandra maar zelden wilde praten over de dingen die haar vader van haar geëist had, maar ze begreep best, dat het tussen hen in bleef staan, juist omdat erover gezwegen werd.

'Ik wil er niet over praten, mam.'

'Dat heb ik altijd gerespecteerd. Maar waarom wil je er nog steeds niet over praten? Schaam je je?'

Ze schudde het hoofd. 'Ik heb niets gedaan om me voor te schamen. Pap wel. Dat heeft de psycholoog me wel aan mijn verstand gepeuterd. In het begin voelde ik me wel schuldig. Dan vond ik achteraf, dat ik had kunnen weigeren als ik het had gewild. Pap zei steeds als het gebeurd was: lekker hè, en dan moest ik altijd huilen. Dan werd hij kwaad en soms sloeg hij me. Dan werd ik bang. Ik wilde het wel aan jou vertellen, maar ik durfde het niet, want pap zei dat ik dan terug zou moeten naar de krotten van Colombia. Een meisje dat al zo jong slechte dingen deed omdat ze het lekker vond, mocht niet in Nederland blijven.'

'Godallemachtig!' De krachtterm ontsnapte aan haar lippen, hoewel ze anders nooit vloekte. De tranen, die toch al dicht onder de oppervlakte zaten, kwamen nu tevoorschijn. Haar keel werd dichtgeknepen van verontwaardiging en van teleurstelling over de man van wie ze zo argeloos gehouden had. Ze trok Sandra tegen zich aan. Ze voelden zich vies, besefte ze, Sandra evengoed als zijzelf.

'Als jij maar weet dat het allemaal paps schuld was. Als je het wel had gezegd, was hij er de gevangenis voor ingegaan. O kind, ik wilde dat dat gebeurd was! Nu moet je wel het gevoel hebben gehad dat je door iedereen en ook door mij, in de steek werd gelaten. Dat neem ik mezelf zó kwalijk, maar ik heb nooit, maar dan ook nooit iets gemerkt.'

'Dat weet ik wel, hoor. Daar zorgde pap wel voor. Maar dat van die andere meisjes... dat was nog veel erger. Word je niet boos, mam, als ik zeg dat ik blij ben dat hij dood is? Ik ben er nog niet één keer verdrietig om geweest, alleen maar opgelucht. Maar het was gemeen van hem dat hij nog iemand anders dood moest rijden. Hij had beter tegen een boom aan kunnen rijden.'

'Pieker er maar niet meer over, dat kan nooit meer veranderd worden,' mompelde ze dof, blij dat Sandra haar ogen niet kon zien.

Sandra rilde nog steeds en Elsie gaf haar daarom de helft van een van haar eigen tabletjes. 'Hier word je rustig van. Kom, neem een warme douche, dat ontspant, en ik blijf straks bij je bed zitten tot je slaapt.'

'Doe je de voordeur op slot vannacht, mam?'

Ze knikte. Toen Sandra onder de douche stond, ging de telefoon. Het was Francine. 'Beer heeft me thuisgebracht. Is alles in orde?'

'Je hebt het gehoord van Thomas?'

'Ja. Ik begrijp heel goed dat Sandra zich ongans is geschrokken. Zeg, Beer is nog hier. Hij wil je even spreken. Hier komt hij.'

'Kan ik je nog ergens mee helpen, Elsie?'

'Morgenochtend ga ik met Sandra naar het tuincentrum. We laten een stevige schutting neerzetten om alle gegluur in de toekomst uit te sluiten. We zeggen gewoon dat het is om te voorkomen dat Merlijn wegloopt.'

'Als je wilt, ga ik mee.'

'Zou je dat willen doen, Beer'

'Hoe laat wilde je gaan?'

'Na de koffie, denk ik.'

'Ik ben om half elf bij je en je weet het, als je je onveilig voelt, bel dan gerust. Je hebt vast nog wel ergens een bank, waar ik op kan slapen, als Sandra zich daar prettiger bij voelt.'

'Francine heeft steeds gelijk gehad. Je bent een kerel uit duizenden. Wacht, ik zal aan Sandra vragen of ze het fijn vindt als je komt. Een momentje. Het is in ieder geval een lieve gedachte van je.'

Het was alsof ze zijn gezicht kon zien, bedacht ze en ineens viel de spanning van haar af. Voorzichtig keek ze om de hoek van de badkamerdeur. 'Beer vraagt of je je prettiger voelt als hij in de logeerkamer komt slapen. Wat vind je ervan?'

'Nee mam. Ik hoef vannacht geen man in huis, zelfs niet een aardige man als Beer. Als ik maar zelf mag controleren of alle deuren goed op slot zitten.'

'Dat mag je.'

Ze vertelde het Beer. 'Prima. Als het verandert, hoor ik het wel. Anders zie ik jullie morgenochtend. Sterkte.'

Sandra zag er rozig en ontspannen uit toen ze onder de douche vandaan kwam. Ze controleerden samen alle ramen en deuren van het huis en daarna kroop het meisje in bed. 'Ik voel me een beetje... zweverig van dat tabletje.'

'Ze helpen goed, ja. Je zult er lekker door slapen en morgen gaan we er meteen voor zorgen dat het in orde komt met die schutting.'

'Je bent een lieverd, mam. Ik wilde je plezierige avond niet bederven, maar ik was heel erg blij toen je meteen naar huis kwam.'

Sandra zakte in slaap. Elsie liet een nachtlampje branden en zat daarna een half uur op de bank.

Het was tien uur toen ze haar jas aantrok. Merlijn wist niet beter, of hij mocht nog een laatste blokje om. Nu vooruit dan maar, dat moest eerst, dan kon hij in de bench om te gaan slapen. Een kwartiertje later liep ze, gesterkt door twee glazen wijn, haar tuinpad af en de oprit van Thomas ten Doorenhof op. Ook hier was het donker. Ze merkte hoe het zweet in haar handen stond. Stel je voor, dat hij nog steeds poedelnaakt rondliep en zo voor haar kwam te staan? Nee, nee, ze moest zich niet laten afschrikken door die viezerik. Ze was hier voor Sandra. Daar moest ze nieuwe moed uit putten.

Even bleef ze staan. Een paar maal haalde ze rustig adem. Even dacht ze dat ze opnieuw een paniekaanval zou krijgen, maar het onaangename gevoel trok gelukkig weer weg.

Met opeengeklemde kaken stond ze voor zijn voordeur. Ze haalde diep adem. Toen drukte ze resoluut op de bel. Een doordringend gegalm werd gevolgd door een paar seconden stilte. Toen klonken er voetstappen. Ach ja, voor een nachtuil als haar buurman was de avond nog jong.

De deur zwaaide open. In zijn ogen blonk verrassing. 'Elsie! Wat leuk. Kom alsjeblieft binnen. Ik heb net een heerlijke fles wijn ontkurkt.'

Alsof hij van de prins geen kwaad weet, dacht ze opstandig.

Ze schudde het hoofd. 'Nee, ik kom niet voor de gezelligheid. Ik wil weten waarom je mijn dochter de stuipen op het lijf hebt gejaagd.'

10

‘Wat zeg je me nu? Waarmee dan?’ Thomas’ verbazing leek oprecht.

‘Je liep in je blootje door de tuin te banjeren.’

‘Nou en? Als je naar het strand gaat, lopen er op bepaalde stukken hele volksstammen mensen zo.’

‘Het is februari, Thomas, en dit is niet het strand.’

‘Weet je, ik ben altijd een fervent naturist geweest, maar de tijd dat we ons moesten verstoppen in afgelegen oorden, ligt al heel lang achter ons. Kom nou, Elsie, je wilt toch niet zeggen dat je hiermee in je maag zit? Kom toch binnen, wat voor smoes je ook hebt bedacht om mij te zien. Ik ben blij dat je er bent.’

Hij droeg een kamerjas. Tien tegen een dat er niets onder zat. Ze kon niet eens meer praten, maar slechts het hoofd schudden.

‘Jij denkt dat ik van een mug een olifant maak, maar Sandra is echt van je geschrokken en ik wil je alleen maar vragen of je daar in het vervolg een beetje rekening mee wilt houden.’

‘Lieve hemel! Dat zoveel preutsheid nog bestaat, heden ten dage! Maar goed, lieve buurvrouw, als ik naakt wil lopen zal ik bij de afrastering van jouw tuin uit de buurt blijven.’ Zijn ogen blonken. Ze kon het idee niet van zich afzetten, dat hij haar compleet in de maling stond te nemen.

‘Nu ik me naar behoren heb verontschuldigd en beterschap heb beloofd, kom je toch wel even binnen?’

Ze aarzelde. Eigenlijk had ze daar helemaal geen zin

in. Ze vertrouwde Thomas voor geen cent meer. Aan de andere kant, ze waren buren en het was heel wat waard, om goed met elkaar overweg te kunnen. Ze besloot zijn zoenoffer te accepteren, maar voortaan zou ze nog nadrukkelijker proberen om uit zijn buurt te blijven!

Haar handen trilden, toen ze het glas wijn van hem aannam. Ze hief het op. 'Proost,' en nam een flinke slok. Daar voelde ze zich al snel wat beter van. Zelfbeheersing was een groot goed en gelukkig kon ze dat opbrengen.

Thomas keek peinzend van haar naar de wijn en zijn woorden overvielen haar volkomen. 'Dat je dochter zo overgevoelig reageerde, heeft alles te maken met de seksuele belangstelling van haar vader.'

Ze schrok. 'Daar wil ik het niet over hebben,' weerde ze af.

'Dat is jammer. Het is een onderwerp waar ik veel van af weet.'

'Ongetwijfeld. Maar ik heb geen zin om ons verhaal in een van jouw boeken te zien belanden.'

Hij grijnsde. 'Het zou een mooi onderwerp zijn. Prachtige vrouw, maar manlief verkiest de erg prille jeugd.'

Soms was ze bang voor hem, omdat het leek alsof hij gedachten kon lezen. Natuurlijk doelde hij nu op de aangifte van aanranding, want wat Arend met Sandra had gedaan, daar kon hij in de verste verte geen weet van hebben. En toch... op de een of andere manier voelde hij dat feilloos aan. Ze moest dit bezoek maar liever zo kort mogelijk houden en voortaan ver uit zijn buurt blijven. Ze wilde dat de schutting er vast stond! O wacht, dat was een mooi neutraal onderwerp en het was verstandig om het er met hem over te hebben! Zo hoorde het uiteindelijk te gaan tussen buren.

'Zeg Thomas, nu ik je toch spreek, ik laat binnenkort een andere afrastering op de erfafscheiding van onze tuin zetten, helemaal rondom. Als straks de toeristen komen, wil ik niet dat Merlijn kan weglopen. Dat wil ik voorkomen. Sandra en ik zouden er veel verdriet van hebben als een of andere onverlaat hem mee zou nemen.'

'Ja, dat begrijp ik. Kan ik je helpen om het hek neer te zetten?'

'We weten nog niet precies wat voor afscheiding het wordt,' jokte ze blozend. 'Volgende week gaan we wel eens kijken, maar dan ben je er vast van op de hoogte.' Ze had hem ingelicht, al was het niet helemaal juist. Ze hoopte uit de grond van haar hart dat de manshoge schutting er volgende week al stond!

'Ik moet gaan.'

'Jammer.'

Ze stond op. Hij deed hetzelfde.

'Ik meen het, Elsie, ik vind je heel aantrekkelijk. Ik wil graag meer voor je zijn dan een aardige buurman. Jij bent alleen en ik ben alleen, maar een mens is er niet voor gemaakt om alleen in bed te liggen. We zouden heel wat voor elkaar kunnen betekenen, jij en ik. Zeg eens, het moet je toch wel zwaar vallen om zo onverwacht weduwe te zijn geworden?'

Ze klemde haar kaken op elkaar. 'Ik heb er geen enkel probleem mee. Kennelijk zit ik wat dat betreft heel anders in elkaar dan jij.'

'Daar geloof ik niets van. Wil je niet een beetje met me knuffelen, Elsie? Ik vind je mooi, weet je dat?'

Hij deed een stap in haar richting. Ze voelde nu zelf iets van de angst die Sandra eerder die avond parten had gespeeld.

'Zoek een ander om in je bed te krijgen, Thomas ten Doorenhof. Ik wil dat niet. Voor mij stelt het niets voor als ik met hem vrij. Ik dacht dat ik je dat met oud en nieuw al duidelijk had gemaakt. Voor vrouwen zoals ik stelt seks alleen iets voor als het samengaat met liefde.'

'Kennelijk dacht je man er ook anders over. Vertel me eens...'

'Welterusten.' Ze vluchtte half de deur uit. Dit was

werkelijk de allerlaatste keer dat ze een voet over zijn drempel had gezet.

Ze was in een oogwenk terug in haar eigen huis, keek even of Sandra al sliep en daarna zat ze nog een hele tijd op de bank. Wat een rare dag was dit geweest, veel te enerverend. Ze voelde zich helemaal leeg, te moe om te kunnen slapen. Was ze misschien toch te hard voor Thomas? Was Sandra's reactie overtrokken geweest? Als je het nuchter beschouwde, waarschijnlijk wel. Maar na wat het meisje had meegemaakt, kon ze het eenvoudig niet nuchter beschouwen. Ze zuchtte diep en voor ze het wist piepten er een paar tranen tevoorschijn. Jammer, dat de avond zo vervelend was afgelopen. Het was plezierig geweest bij Beer. Hij was werkelijk een heel aardige man, maar ze voelde eenvoudig niets bijzonders voor hem. Was het werkelijk nog maar een half jaar geleden, dat ze gelukkig was geweest, dat ze geen weet had gehad van wat er onder haar eigen dak gebeurde en wat Arend daarbuiten allemaal nog uitspookte? Haar geluk was een illusie gebleken. En toch verlangde ze soms zo naar die tijd terug. De gewone zorgen van alledag, zonder het gevoel dat al je zekerheden onder je waren weggevallen. Ze zuchtte. Ze stond op om nog een glas wijn in te schenken. Ze nam een paar slokken en vulde het glas meteen weer bij. Hoeveel had ze vandaag eigenlijk al gedronken? Vanmiddag twee glazen voor ze wegging, een stuk of drie bij Beer, twee voor ze naar Thomas ging, daar weer een glas en nu was dit alweer haar tweede. Elsie, waar ben je dan toch mee bezig? Wil je dan alleen je verdriet nog maar verdrinken? Wat bereik je er uiteindelijk mee? Een vlucht voor de harde werkelijkheid van het leven, dat was het. Hoe lang zou het duren, voor Sandra zou merken dat ze echt veel te veel dronk? Ze had al een keertje een opmerking in die richting gemaakt. Sandra zat in een gevoelige fase. Ze zag veel meer dan Elsie had beseft. Ze zou er verstandig aan doen, zichzelf grenzen te stellen, bijvoorbeeld niet meer dan twee glazen per dag. Maar kon ze dat wel opbrengen? Ze dacht van niet. Misschien moest ze naar Bram terug, maar die zou ongetwijfeld weer met zijn pilletjes aankomen en daar was je nu eenmaal binnen de kortste keren aan verslaafd.

Hoe kon een mens nog ontsnappen als er zo ontzettend veel problemen tegelijk op hem afkwamen? Ze wist het niet meer. Ze was ook veel te moe om nog te vechten. Ze moest eerst maar eens gaan slapen. Prioriteiten stellen, dat was de enige manier voor wie overbelast was, dat wist ze best. Goed, haar eerste prioriteit was die schutting, zodat Sandra zich weer veilig zou voelen in haar eigen huis. Maar daarna zou ze de moed moeten vinden om haar eigen situatie eerlijk onder ogen te zien.

Beer was de volgende morgen stipt op tijd. Ze vertelde zowel hem als Sandra niets over haar bezoekje aan Thomas. Ze had slecht geslapen, iedere keer was ze wakker geschrokken uit indringende, onplezierige dromen. De meeste gingen over Thomas.

In het tuincentrum vonden ze een stevige schutting waar niet doorheen gegluurd kon worden, die nog aardig was om te zien ook. Hij zou langs de hele zijde komen waar haar bezitting grensde aan die van Thomas. Aan de andere zijden kwam een andere, met doorkijkjes en speelse elementen.

Aan Thomas' kant zou ze bovendien wat hogere planten neer laten zetten. En tegen de schutting kwamen planten als bruidssluier, klimop en wilde wingerd. Op maandag zouden de tuinlieden kunnen komen, zei de verkoper. Dat werd afgesproken.

'Nog vijf hele dagen,' zuchtte Sandra gelaten.

'Nog maar vijf dagen,' grinnikte Beer. 'Daar zit bovendien nog een weekeinde tussen. Waarom gaan jullie niet gezellig een weekendje uit? Naar een bungalowpark of zo?'

'Ik wil bij Francine in de buurt blijven.'
'Neem haar dan mee. Weet je wat, dan ga ik ook mee. We huren een groot huisje voor acht personen of zo. Dan hoeven we elkaar niet voor de voeten te lopen. Het is nu woensdag. We kunnen vrijdagmorgen weg. Laat het maar aan mij over... tenminste, als je ervoor voelt.'
'O mam, alsjeblieft. Lekker een korte vakantie. Ik mag vrijdag wel een paar uurtjes verzuimen van school, dan kunnen we bijtijds weg. Ik wil zo graag eens ergens anders naartoe. Naar het bos of zo.'
'Dan wordt het het bos,' zei Beer.
Eerst voelde ze er niets voor, maar Sandra's gezichtje gaf de doorslag. Toen ze weer naar huis reden, bedacht ze, dat het misschien toch wel een goed idee was.
Beer stond erop om bij Francine langs te rijden om te vragen of ze meewilde. Ze bleek maar wat graag mee te gaan.
'Ik ga naar huis om het meteen te boeken,' zei Beer. 'Ik laat wel horen wat het geworden is. Ik rijd, want in mijn stationcar passen de meeste spullen. We zoeken iets uit, waar de honden mee naartoe mogen, goed?'
Het was allemaal al beslist. Ineens kon Elsie zich eraan overgeven en direct kreeg ze het gevoel dat er een zware last van haar schouders was genomen. Sandra lachte weer. Francine kon de afleiding goed gebruiken, en Beer, ach, Beer was gewoon aardig zonder meer.
Toen Sandra naar school was gegaan, maakte Elsie een beker koffie voor zichzelf. Ze zette de computer aan en zocht haar astrologieprogramma op. De gegevens van Thomas' horoscoop had ze snel opgezocht. Even later verscheen er een horoscooptekening op het beeldscherm. Ze maakte er een afdruk van.
Ingespannen bestudeerde ze de horoscooptekening. Zou Thomas' overdreven belangstelling voor seks zijn aangegeven? Hij was een leeuw. Dat klopte met wat ze van hem wist, want mensen met de zon in het teken leeuw, stonden graag in de belangstelling. Bovendien

stond het teken leeuw op Thomas' midhemel en daarmee op het tiende huis, het huis van eer en aanzien in een horoscoop. Mercurius, de planeet van de communicatie, maakte een samenstand met het midhemelpunt. Venus, de planeet van de liefde, stond ook al in leeuw.

De ascendant was een tweede punt in de horoscoop dat erg belangrijk was. De ascendant liet zien hoe je op de buitenwereld overkwam. Bij Thomas was dat het teken schorpioen, het teken van stille en verborgen stromingen. Bij een schorpioen wist niemand werkelijk wat er achter die persoonlijkheid school. Saturnus en Pluto maakten een lelijk machtsaspect. Dat kon ze niet zomaar plaatsen. Ze keek niet onbevooroordeeld naar deze horoscoop, en dat was niet goed. Ze gooide de tekening weer aan de kant. Eigenlijk was het zinloos zich te verdiepen in Thomas' persoonlijkheid. Toch berekende ze de progressies voor het heden, gewoon om te kijken welke aspecten op dit moment een grote rol speelden in zijn horoscoop. Pluto maakte vanuit het teken boogschutter een lelijk vierkantsaspect. Pluto was bij uitstek de planeet die alles ondersteboven kon gooien.

De telefoon ging. Het was Beer. Hij had geboekt. Ze gingen naar Zuid-Limburg en konden dan een bezoekje brengen aan het bekende kuurcentrum in Valkenburg. Was ze daar wel eens eerder geweest? Nee? Dan wist ze niet wat ze miste! Hij was er wel eens geweest, een paar jaar geleden, met zijn moeder. Het was werkelijk een heerlijke ervaring en Francine zou er zeker ook van genieten. Vrijdagmorgen om tien uur kwam hij hen halen. Ze hoefde niets te regelen en hij trakteerde.

'Ik betaal een keer een diner,' bedisselde ze.

'Zo je wilt. Tot vrijdag dan maar.'

'Mogen de honden ook mee?'

'Natuurlijk. Je denkt toch niet dat ik mijn beste kameraad ook maar een paar dagen kan missen?'

Ze deed de computer uit en pakte de riem van de hond. Merlijn kwam meteen kwispelstaartend naar de deur. Even later liep ze buiten. Ze besloot even langs de supermarkt te wandelen. Verrast ontdekte ze, dat ze daar helemaal niet meer tegenop zag.

In de winkel kwam ze Gre tegen. Toen Elsie naar buiten keek, zag ze Mozes naast Merlijn aan een paal vastgebonden zitten. Ze lachten. 'Ik ben zo blij met hem, Gre.'

'Dat wist ik wel. Je bent in een paar weken tijd behoorlijk uit je schulp gekropen.'

'Ik ben je er dankbaar voor.'

De ander lachte. 'Je hebt het moeilijk gehad. Ik was blij iets te weten dat je zou kunnen helpen.'

Ze stonden inmiddels bij de kassa en Elsie rekende af. 'Kom je even mee om een kop koffie te drinken, Gre?' Ze wilde haar vertellen van haar uitstapje en ook van Thomas.

Gre had het druk, maar een half uurtje ging net. Voor drie dagen per week hadden ze een doktersassistente, de andere twee dagen vervulde Gre zelf die functie. Mozes en Merlijn ravotten door het huis en speelden met de ballen en de piepegel van Merlijn.

Gre luisterde aandachtig. 'Ik heb wel meer rare verhalen gehoord over je nieuwe buurman. Iemand die dergelijke boeken schrijft, staat onvermijdelijk in de belangstelling, zeker in een kleine leefgemeenschap als de onze.'

'Ik zal blij zijn als het toeristenseizoen weer begint en het allemaal weer veel anoniemer wordt. Als er hordes leuk uitziende vrouwen rondlopen in verregaande staat van ontkleding, zal Thomas niet veel interesse meer hebben in mij en vooral Sandra. Hij maakt me bang.'

'Omdat Arend in erg jonge meisjes was geïnteresseerd, is Thomas dat nog niet.'

'Je bedoelt, dat ik projecteer?'

'Dat doe je ongetwijfeld, maar dat zou iedereen doen, Elsie.'

Gre was al lang en breed weer weg toen ze daar nog

steeds over na moest denken. De zon was inmiddels achter de wolken verdwenen, er begon een kille, miezerige regen te vallen.

In een impuls trok Elsie haar warme winterjas aan. Het was maar een klein eindje rijden. Ze ging naar de begraafplaats. Ze was er na de begrafenis niet meer geweest. Ze moest zoeken naar het graf, ze herkende de grafsteen, die ze van een plaatje had gekozen. Ook Sandra had het graf van haar vader nooit bezocht.

Huiverend keek ze op de marmeren steen neer. Arend van Klaveren, veel te jong gestorven. Verder lag hij hier anoniem te midden van vele anderen. Wat voelde ze nu? Afkeer, stelde ze beschaamd vast. Hij had haar vertrouwen beschaamd, hij had de dood verkozen en haar alleen achter gelaten. Hij had Sandra beschadigd, misschien wel voor de rest van haar leven. Als ze nu dacht aan de tijd waarin ze veronderstelde gelukkig te zijn geweest, kwam er zo'n bittere nasmaak in haar mond. Wie weet wat Arend nog meer uitgevreten had! Er konden meisjes zijn geweest die hij lastig had gevallen zonder dat deze aangifte hadden gedaan. Ze had van een medewerkster van zijn zaak begrepen, dat hij graag dubbelzinnige opmerkingen maakte, graag moppen vertelde die eigenlijk niet door de beugel konden. Ja, Arend was net als Thomas geweest, met een belangstelling voor seksualiteit die zeker ongezonde kanten had gehad. Het ergste was, dat zij het nooit in de gaten had gehad, tot ze het op zo'n akelige manier had moeten ontdekken. Nu kwelden haar de schuldgevoelens.

Ze zuchtte en keerde zich weer om. Nee, ze zou hier voorlopig niet meer terugkomen. Ze had hier niets meer te zoeken. Het was bitter, maar waar.

Thuisgekomen was ze rusteloos. Ten slotte nam ze een lang warm bad. Daarna begon ze twee tassen in te pakken, een voor Sandra en een voor haarzelf. Ineens keek ze heel erg naar het uitstapje uit.

De damp kringelde omhoog. Het water was warm, de lucht friskoud en het uitzicht adembenemend. Loom bewoog Elsie zich door het warme bronwater van het kuurbad. Het was rustig hier, omdat kleine kinderen uit het bad werden geweerd. Sandra en Francine deden mee met een les onderwatergymnastiek. Beer wilde naar de sauna, maar de gedachte zich te moeten uitkleden in zijn aanwezigheid belette haar en Sandra kon ze het al helemaal niet aandoen. Ze wist niet of hij in zijn eentje was gegaan. Zelf dobberde ze hier in de buitenlucht rond en ze genoot. Voor het eerst in heel lange tijd voelde ze zich ontspannen.

Gistermorgen waren ze in hun huisje getrokken, een luxe vakantiebungalow in een park met vele mogelijkheden. Ze hadden heerlijk gegeten, gezellig bij de open haard gezeten en spelletjes gedaan.

Francine zag ertegenop haar badpak aan te trekken, maar Elsie had een vulling in het badpak genaaid, zodat het nauwelijks zichtbaar was dat ze een borst moest missen. Omdat ze hier toch verder niemand kende, had Francine zich ten slotte overgegeven. Nu genoot ze van alle luxe in dit complex. Straks gingen ze samen naar de masseur voor een ontspannen nek-schoudermassage en na de middag zouden ze nog een yogales volgen, helemaal boven in het gebouw.

'Mooi hè?' Ongemerkt was Beer naast haar komen zwemmen.

'Het is heerlijk, dit warme water op een koude winterdag en dan dit adembenemende uitzicht.'

Hij lachte. 'Geen spijt?'

'Het was een uitstekend idee van je, Beer.'

'Dat hoopte ik al. Ik weet niet precies wat er met je dochter is gebeurd, maar ik heb dinsdagavond genoeg opgevangen om een en ander bij elkaar op te tellen. Je moet maar goed op haar passen, meisje. Dan kan ze het goed verwerken en niet al te beschadigd in het volwassen leven kan stappen.'

Ze zuchtte en keek hem aan. 'Het ergste zijn de schuldgevoelens, Beer, die blijven maar de kop opsteken. Je denkt dat je kinderen signalen afgeven, die een moeder niet kunnen ontgaan als ze van haar kind houdt. Maar ik heb werkelijk niets gemerkt. Sandra zegt dat ze zo bang was, dat ze heel goed oplette dat ik niets zou merken. Maar ze moet op alle mogelijke manieren geprobeerd hebben het te ontlopen om alleen met haar vader thuis te zijn. En ik reed intussen onbekommerd naar de stad om astrologielessen te volgen en bleef dan urenlang weg.' Ze schoot vol.

'Toe.' Hij raakte even haar schouder aan. 'Zulke gedachten helpen je niet verder. Het verleden kun je niet veranderen, maar aan de toekomst kun je wel wat doen. Je staat er niet alleen voor. Misschien kan ik je helpen. Ik zal erop letten of Sandra signalen geeft of ze erover wil praten.'

Ze vertelde dat Bram en Gre het wisten en voor hen klaarstonden. Ze vertelde ook over de psycholoog waar Sandra niet meer naartoe wilde, hoofdzakelijk omdat het een man was. Francine had voorlopig haar handen vol aan zichzelf. Ze was ergens wel opgelucht dat ze zich voor hem niet groot hoefde te houden en vooral, dat hij haar niet veroordeelde.

'Natuurlijk veroordeel ik je niet. We maken allemaal vreselijke dingen mee in ons leven, Elsie, dingen die we het liefst verborgen zouden houden.'

'Jij ook?'

'Natuurlijk, ik ook. Zoals Francine niet wil weten dat haar lichaam niet zo mooi meer is als vroeger, zo wil jij niet meer weten wat je man achter je rug allemaal gedaan heeft en zo wil ik het liefst vergeten dat mijn zoon een keer betrapt is met drugssmokkel, waarvoor hij een werkstraf heeft gekregen.'

'Meen je dat?'

'Nu ik jou geheim ken, mag jij het mijne ook weten. Dat maakt dat we gelijkwaardiger tegenover elkaar staan. Gelukkig is hij daarna toch goed terechtgekomen. Hij heeft nu een bloeiende praktijk als tandarts.'

'Je bent werkelijk een schat van een kerel, Beer.'

Hij glimlachte verlegen. Toen boog hij zich bliksemsnel door de damp heen en even, slechts heel even, beroerden zijn lippen de hare. Daarna zwom hij weg alsof er niets was gebeurd.

11

Wat zou ze nemen? Kipschnitzels of tartaar? Sandra vond het allebei lekker. Elsie drentelde op haar gemakje heen en weer. De eigenaar van de zaak was bezig bij het schap met tijdschriften. 'Goedemiddag, mevrouw Van Klaveren. Wat heeft u toch een leuk hondje. Het brengt u ook onder de mensen, is het niet?'

Ze glimlachte. Met verwondering stelde ze vast, hoe ze weer als vanouds boodschappen deed. 'Zo'n beestje heeft behoefte aan beweging en dat is voor mij ook niet slecht.'

'Hoe gaat het eigenlijk met uw vriendin? We zien haar niet vaak meer, de laatste tijd. We hebben natuurlijk gehoord van haar ziekte. Soms is het moeilijk om te weten of belangstelling goed doet of dat iemand juist liever met rust wordt gelaten.'

Elsie knikte. 'Dat hangt van het moment af. Als ze al een paar mensen over haar ziekte heeft verteld, wil ze liever weer aan wat anders denken. Maar als niemand wil weten hoe je je voelt, is het ook moeilijk. Francine begrijpt dat best. Op dit moment wordt ze het liefst met rust gelaten.'

'Is ze al met de chemokuren bezig?'

'Eergisteren is ze voor het eerst geweest.'

'Dan zal ze best beroerd zijn.'

'Ze voelt zich niet lekker. Gaat het met uw voet weer beter?' Ze probeerde de aandacht van Francine af te leiden. Als hij wilde weten hoe het met haar ging, moest hij het haar zelf maar vragen als de boodschappen werden gebracht.

‘Kijkt u eens naar dit tijdschrift, mevrouw Van Klaveren. Het is nieuw in ons assortiment, maar misschien kent u het wel.’ Hij hield een blad omhoog dat ging over parapsychologie en astrologie. Ze glimlachte, blij met het neutrale onderwerp. ‘Ik heb het een paar keer gekocht. Voor veel mensen is het ongetwijfeld interessant om algemene beschrijvingen van de tekens waar de zon in staat, te lezen. Maar als je dieper met astrologie bezig bent, heb je er niet veel aan.’

‘U trekt horoscopen, hè? Dat weet iedereen. Mijn vrouw vindt dat heel interessant en toch ook een beetje griezelig. Bent u met die gave geboren?’

‘Werkelijke astrologie is een nuchtere aangelegenheid en iedereen kan het leren. Er zijn boeken te over om te bestuderen hoe je een horoscooptekening kunt interpreteren, en iedereen kan lessen volgen. Daar is geen bijzondere gave voor nodig, maar wel een flinke dosis gezond verstand.’

‘Goh, dat had ik nu nooit gedacht. Zo leert een mens weer wat.’

Elsie knikte. ‘Ik moet weer verder. Mijn dochter komt zo weer thuis, en ik ben nog zo’n ouderwetse moeder die dan graag met de thee en de koekjes klaarzit.’

‘Maar natuurlijk, natuurlijk...’ verontschuldigde hij zich.

Elsie liep verder, nog steeds met een glimlach om de lippen. Mensen hadden soms zulke vreemde ideeën over astrologie. Ze moest eerlijk toegeven, dat er ook astrologen waren die dat het liefst zo hielden. Andere mensen dachten dat alles in de sterren stond geschreven en dat een mensenleven daarom wel zo’n beetje vast moest liggen. Niets was minder waar. Mensen met een moeilijke horoscoop leidden vaak een gelukkig en vervuld leven en mensen met een horoscoop die eigenlijk veel goeds te zien gaf, hadden soms een moeilijk en zwaar leven. Het lag er maar aan hoe je je vrije wil inzette bij het omgaan met je mogelijkheden en beperkingen, die wél duidelijk in een horoscoop stonden. Dat was ook de reden waarom sommige astrologen, die beweerden dat alles te voorspellen was, naast de opmerkelijke treffers waar ze zich zo graag op lieten voorstaan, minstens zoveel daverende missers maakten.

Buiten begroette Merlijn haar alsof ze een eeuwigheid weg was geweest. Ze zette de hond in haar fietsmand aan het stuur en hield de riem stevig vast zodat hij er niet onverhoeds uit kon komen. Hij begon eraan te wennen om mee te gaan op de fiets.

Ze ging even bij Gre langs. Terwijl de honden met elkaar ravotten, dronk ze een kopje koffie met de doktersvrouw. Bram deed zijn ronde.

'Je ziet er ontspannen uit,' stelde Gre vast. 'Slik je nog wel eens kalmerende middelen?'

Ze schudde het hoofd, en dacht intussen aan de lege wijnflessen die ze bijna dagelijks in de glasbak deponeerde. Ze voelde zich beschaamd dat ze het niet kon opbrengen om daarover te praten.

'Ondanks de ernstige ziekte van je beste vriendin, vind ik dat je je geweldig door je moeilijkheden heen slaat. Dat wilde ik toch eens gezegd hebben.'

'Er zijn heel veel momenten geweest, waarin ik opstandig ben geweest en vol verzet, Gre. Het leven is soms zo onrechtvaardig. Nu het langzamerhand weer wat beter gaat, merk ik dat ik steeds op de volgende klap te zitten wachten. Daar verzet ik me wel tegen, maar toch gebeurt het. Ik doe mijn uiterste best, van elke dag het beste te maken. Soms lukt dat, soms ook niet. Het gaat gelukkig redelijk goed met Sandra. Zij was en is voorlopig mijn grootste zorg. Wat er met Arend is gebeurd, heb ik nog niet verwerkt, eerder verdrongen. Ik zal nog door veel pijn heen moeten, daar is geen ontkomen aan. Maar alles op zijn tijd. Het ergste is het schuldgevoel tegenover Sandra! Ze is al een paar maanden verliefd op een jongen uit de klas, Joost, maar ik hoor er al weken niets meer over. Ik ben bang dat hetgeen er met haar vader is gebeurd, tussen hen in staat.'

'En dat is onbespreekbaar?'

'Ik probeer altijd aan te geven dat ze me alles kan vertellen, maar ze is soms zo gesloten. Misschien komt dat ook door haar landsaard. Die is anders dan de onze, hoewel ik het moeilijk vind om dat toe te geven. Mensen zijn misschien wel gelijkwaardig, maar niet gelijk. Op de meest onverwachte momenten merk ik dat ze anders is.'

'Daarom zijn er zo vaak problemen met geadopteerde kinderen. Misschien zou het goed zijn een reis te maken naar haar geboorteland, zodat ze haar wortels kan leren kennen.'

'Bedoel je dat we haar moeder moeten gaan zoeken?'

'Niet als ze daar zelf geen behoefte aan heeft. Nee, ik bedoel de sfeer van het land proeven, het klimaat, de geuren en kleuren. Haar wortels.'

'Ik zal er eens over denken. Misschien over een of twee jaar, als we ons allebei weer meer onszelf voelen. Nu ze zo kwetsbaar is, zou het misschien te veel overhoop halen. Ook voor mij.'

'Ja, jij bent ook nog erg kwetsbaar. Het is prachtig dat je zo klaarstaat voor je dochter, maar vergeet niet dat je zelf ook met een en ander in het reine moet komen. Het einde van je huwelijk is een pijnlijke kwestie geworden, maar daar moet je doorheen. Anders wordt het pijn zonder einde, Elsie.'

'Wat een wijze woorden.'

Gre glimlachte. 'Je hoeft mij niet te vertellen dat weten en doen twee verschillende dingen zijn.'

Elsie stond op om terug naar huis te fietsen. 'Ik moet weer opstappen. Sandra komt zo thuis.'

Hoewel de schutting er inmiddels stond en ze Thomas niet meer had gezien sinds het akelige bezoekje twee weken geleden, voelde ze zich nog steeds zenuwachtig als Sandra alleen thuis was.

Ze liep op haar tenen. Francine waarschuwde haar,

Beer deed dat ook en nu Gre. Ze wist het zelf maar al te goed en toch kon ze het niet van zich afzetten. Een paar maal was ze haastig een straat in gevlucht, als ze Thomas ergens zag lopen. Dat kon niet zo doorgaan. Nog steeds ontvluchtte ze alle spanningen met haar glaasjes wijn. Een stuk of acht op een dag was tegenwoordig heel normaal. Ze zuchtte. Nee, ze was nog niet zover als Gre, Beer en Francine dachten. Voor de buitenwereld trok ze veel te graag een opgewekt gezicht, ook al voelde het in haar hart anders.

Ze stapte af om haar tuinhek open te doen.

'Nee maar, buurvrouw, dat is een hele tijd geleden.' Het klonk vlak achter haar en ze schrok zich te barsten. Had Thomas haar misschien op staan wachten of was het stom toeval? In ieder geval was er nu geen ontkomen meer aan.

Als hij haar afwerende gezicht al zag, trok hij er zich in ieder geval niets van aan. Alsof ze de beste vrienden waren knuffelde hij Merlijn en informeerde naar de gezondheid van Francine. Hij vertelde de laatste dagen te maken te hebben met een schrijversblok, dat hij op probeerde te lossen door elke dag een flinke strandwandeling te maken. Hij hoopte dat het niet te lang zou duren, want dan kwam hij in de problemen met zijn deadline. Ze zuchtte en hoorde zijn gepraat aan. Van buiten leek ze geduldig, maar van binnen was ze dat allerminst. Sandra kon elk moment thuiskomen en ze vond het vervelend als ze met hem werd geconfronteerd. Hij zei niets over de schutting. Wel vroeg hij of ze zijn horoscoop al eens had getrokken.

'Ik heb een uitdraai gemaakt, maar ik ben er niet toe gekomen om de horoscoop uitgebreid te bestuderen, Thomas. Dat komt nog wel een keer, ik ben momenteel erg druk met andere dingen.'

'Francine?'

'Dat ook, en met het voorbereiden van enkele workshops, die ik komend zomerseizoen ga geven.'

Hij lachte opgewekt. Ze begon te twijfelen. Misschien oordeelde ze toch te hard over hem. Misschien reageerde Sandra toch alleen maar overgevoelig op alles wat met intimiteit te maken had, na wat ze met haar vader had doorgemaakt? Zocht ze maar niet overal wat achter, liep ze maar niet de hele dag op haar tenen. Kon ze maar weer gewoon net als vroeger het leven nemen zoals het kwam.

Merlijn jankte. Ze bukte zich om het hondje op te tillen. 'Hij heeft honger, Thomas, ik moet gaan.'

'Ik zie je nog wel een keer. Ik kom binnenkort nog eens een glaasje wijn drinken, lieverd. Doei.'

Ze antwoordde niet. Hij liep kwiek naar de grote trap over de duinen. Zij zuchtte opgelucht en net toen ze het tuinhek door was, kwam Sandra eraan fietsen.

Even later zaten ze samen aan de thee, Sandra lachte en vertelde dat Joost had gevraagd of ze een keer met hem uit eten wilde. Geen duur restaurant, dat kon hij natuurlijk niet betalen, maar gewoon samen een hamburger eten en ondertussen gezellig kletsen. Haar ogen straalden.

Elsie lachte. 'Fijn voor je,' liet ze welgemeend weten.

Zie je wel, ze maakte zich veel te snel druk! Weer wat geleerd vandaag!

'Hij heeft me gezoend,' lachte Sandra toen ze thuiskwam na haar uitstapje met Joost.

'Wilde hij niets meer drinken? Je had hem gerust even mee naar binnen kunnen nemen. Of is het tegenwoordig ouderwets als een jongen je netjes thuisbrengt, zoals dat in mijn jonge jaren het geval was?' Ze nipte aan de wijn. Elsie voelde zich plezierig.

Sandra keek verontwaardigd. 'Ja zeg, ik stel hem meteen aan mijn moeder voor, de eerste keer. Wat moet hij wel denken?'

'Ach ja, het is ook al een hele tijd geleden dat ik mijn eerste vriendje had,' glimlachte ze geamuseerd.

Sandra verdween naar boven om huiswerk te maken, zoals gewoonlijk met daverend harde muziek. Maar goed dat ze niet in een flat woonden, omringd door buren die ontzien moesten worden!

De volgende morgen maakte ze de horoscoop van een van Sandra's onderwijzeressen, die haar via het meisje daar om had gevraagd. De uren gingen prettig voorbij, zodat ze niet aan wijn dacht, tot in de namiddag.

Sandra kwam vroeg uit school omdat een van de leraren onverwacht ziek naar huis was gegaan en mopperde op de grote hoeveelheid huiswerk, die hij met zijn zere kop eerst nog had opgegeven voor hij thuis in bed zou kruipen. Ze dronken thee en aten een plak cake. Het meisje ging naar boven.

Elsie keek naar het zonnetje buiten. Zou ze naar het strand gaan of niet? Ze was eigenlijk te moe voor een flinke wandeling. Ze wist zelf niet waarvan het kwam. Elsie nam Merlijn daarom maar mee de tuin in, waar het dier eerst rondsnuffelde en een plasje deed, daarna ontdekte hij een tak in de zanderige border en zoals meer honden, begon hij enthousiast met zijn voorpoten te graven. Eigenlijk moest ze hem dat verbieden, want als hij volwassen was en zo huishield, zou hij binnen een paar weken haar tuin volledig geruïneerd hebben. Maar ze vond het zo'n koddig gezicht, haar kleine pup die zo lekker aan het graven was en zo'n plezier had, dat ze haar fototoestel haalde om zijn streken op de gevoelige plaat vast te leggen. Daarna haalde ze zijn favoriete piepspeeltje en gooide dat een groot aantal keren weg, waarna Merlijn onvermoeibaar zijn speeltje ging ophalen om het weer voor haar voeten te deponeren.

Toen ze het een beetje koud kreeg, zo zonder jas, besloot ze weer naar binnen te gaan. Het kleine hondje was moe van het spelen en volgde haar op de hielen. Ze gaf hem een hondenkoekje en even later kwam hij lekker tegen haar aan liggen. Cavaliertjes waren honden die heel erg van kroelen hielden. Ze aaide hem over zijn zachte vachtje en genoot tegen half drie van haar eerste glas wijn van die dag. Ze vulde juist haar glas bij, toen de bel ging. Het verraste haar Beer te zien staan. 'Kom erin.'

'Ik wilde eigenlijk vragen of je zin hebt om met mij mee te gaan. Ik moet nog een paar boeken ophalen in het archief van Zierikzee en wilde dan ergens koffie gaan drinken.'

Ze vroeg zich af of ze Sandra wel alleen wilde laten. 'Sandra is boven. Ik moet het haar vragen, snap je?'

'Sinds die avond dat je buurman over de schreef ging, ga je niet meer onbezorgd weg als ze alleen is, hè? Als ze wil mag ze mee, hoor.'

'Ik ben zo terug, Beer. In principe voel ik er wel voor. Ik zit veel te veel thuis om op Sandra te passen en uiteindelijk is ze inmiddels zeventien. Het is beter om haar een beetje los te laten.'

Sandra had geen bezwaar. 'Als je het niet fijn vindt, ga ik niet, hoor...'

'De schutting helpt, mam, Als ik alleen ben, doe ik nooit open als er gebeld wordt en als jij weg bent doe ik de deur op het nachtslot. Dan voel ik me veilig.'

'Goed dan. Als er wat is, moet je bellen. Ik neem mijn mobiele telefoon mee.'

'Dat stelt me genoeg gerust, mam. Geniet er maar van. Beer is een aardige kerel.'

'Ik heb toestemming,' lachte ze plagend toen ze weer beneden was.

'Daar ben ik blij om,' speelde hij mee.

Ze bracht Merlijn boven bij Sandra, want het was tijd voor zijn middagdutje.

Devil lag in zijn ren, vertelde Beer. Hij lag graag buiten, zelfs nu het pas maart was. Binnen waar de verwarming brandde, kreeg de hond met zijn dikke vacht het al snel te warm. Ze praatten even over Francine, maar niet te lang. Ze had een wat gelige huid gekregen en was heel snel moe, maar voor de rest hield ze zich geweldig.

Beer vertelde over het artikel dat hij aan het voorbereiden was en waarvoor hij materiaal mocht lenen in het archief. Het zou gaan over de vliedbergen die hier en daar in het landschap waren te zien, raadselachtige aarden heuvels die naar men dacht in de vroege middeleeuwen hadden gediend om het vege lijf te redden van mensen en dieren, als de zee de strijd dreigde te winnen.

Ze waren in de stad voor Elsie er erg in had. Zoals altijd voelde ze zich op haar gemak in zijn gezelschap. 'Hoe lang heb je werk op het archief? Ik wil nog even in de handwerkwinkel neuzen, nu ik toch hier ben.'

'Dan zet ik je daar af. Kom maar naar het archief in het gemeentehuis als je klaar bent. Dan gaan we daarna ergens koffie drinken.'

Ze neusde lekker ontspannen tussen bollen wol en borduurwerken, kocht wol om voor zichzelf een vest te breien en ook nog een tafellaken om te borduren, ouderwets misschien, maar ze hield van mooi gedekte tafels. Bovendien was borduren rustgevend.

De zon scheen. Ze slenterde neuriënd in de richting van het gemeentehuis, een paar straten verderop. Eerst wandelde ze door een warenhuis, waar ze een leuk zonnetopje voor Sandra kocht. Daarna slenterde ze verder. Beer zou ondertussen waarschijnlijk wel klaar zijn. Ze rekende af en liep verder, een smal straatje door waar geen verkeer kwam, doodeenvoudig omdat het niet meer dan een steeg was waar geen auto doorheen kon. Bij een lingeriewinkel bleef ze staan. Peinzend keek ze naar de kanten niemendalletjes in de etalage. Zou ze een stelletje kopen? Maar voor wie zou ze zoiets ooit nog aantrekken? Eerlijk gezegd en gezwegen zat gewoon katoenen ondergoed het lekkerst, maar ja, ze was een vrouw, het oog wilde ook wat...

'Dat moet je kopen, lieverd. Je zult er geweldig in uitzien.'

Ze rilde en schrok. 'Jij duikt ook overal onverwacht op, Thomas!'

'Kom mee naar binnen, ik dien je wel van advies.'

De vlammen sloegen haar uit. 'Geen denken aan! Ik heb een afspraak, Thomas, dus als je me wilt excuseren.'

'Toe, niet zo haastig. Luister, zullen we koffie drinken en...'

'Ik heb al een afspraak, zei ik. Sorry.'

'Goed, goed, een andere keer dan. Zeg, zal ik dat stelletje voor je kopen, geef me de maat maar, dan neem ik het wel mee. Ik...'

Ze wilde doorlopen maar hij hield haar bij haar arm vast. 'Haast je nu niet zo, met dit mooie weer. Je kunt echt merken dat de lente voor de deur staat en ja, dan krijgt een mens frivole gedachten. Daarom stond je je er natuurlijk aan te vergapen, denk je nu echt dat ik dat niet begrijp? Je man hield beslist ook van vrouwen in mooie lingerie. Bijna alle mannen zien een vrouw graag het liefste zo, nog liever dan naakt. Wie weet wat die meisjes droegen die...' Even drong zijn lichaam tegen het hare. Met grote ogen staarde Elsie hem aan. Op dat moment wist ze precies wat Sandra had gevoeld toen hij die avond in adamskostuum in de tuin had gestaan. Zijn ogen schitterden. Hij leek zich werkelijk van geen kwaad bewust.

'Heel veel vrouwen vinden het erg fijn, als er een beetje dwang aan te pas komt, maar dat hoef ik jou niet te vertellen, ik...' Zijn gezicht kwam nog dichter bij het hare. Ze voelde een paniekaanval in zich opstijgen. Haar mond klapte open en weer dicht. Haar benen trilden. 'Toe Elsie, het is alleen maar voor het plezier, meer niet.'

Toen kreeg ze eindelijk haar zelfbeheersing weer terug. Al stond ze honderd keer midden op straat, ze verkocht hem een klinkende oorvijg, als was hij een knulletje van nog geen tien jaar.

'Smeerlap,' siste ze tussen haar tanden. 'Houd je smerige praatjes voor je.'

12

Thomas keek alsof hij er niets van begreep en misschien was dat ook wel zo. Woordspelingen op het randje vond hij altijd hoogst amusant. Hij hield van seks, hij hield van dingen die misschien net niet door de beugel konden en had nooit gedacht dat Elsie behept was met de burgerlijke preutsheid waar hij bijkans allergisch voor was.

'Ik bedoelde er niets mee,' hakkelde hij nog, maar zij snelde al bij hem weg. Hij volgde haar zonder aarzelen en zag dat ze het stadsarchief binnenging. Hij volgde haar omdat hij dacht dat ze zich uit de voeten maakte voor iets dat ze volgens hem verkeerd begrepen had.

Een meisje achter een balie keek hem vragend aan. 'Ik hoor bij mevrouw Van Klaveren. Is die niet hier?'

'Mevrouw Van Klaveren is bij de heer Van Scherpenzeel, ginds.'

Elsie, die eerst naar het toilet was gegaan om haar verhitte gezicht te betten met koel water, hoorde Thomas' stem. Haar hart bonsde als een gek. De angst was nog niet voorbij. Ze probeerde haar ademhaling onder controle te krijgen.

Toen Thomas' stem zweeg, hoorde ze een deur dichtknallen. Was hij nu weggegaan? Ze kon hier niet in de toiletruimte blijven staan. Als Beer klaar was in het archief, zou hij naar haar op zoek gaan. Ze legde haar handen op haar buik en probeerde er naar toe te ademen, zoals ze had geleerd.

Ze hoorde Beers stem. De spanning gleed plotseling

van haar af. Ze slikte haar tranen weg en bette haar gloeiende wangen met koud water. Met een papieren handdoekje droogde ze haar gezicht af. Ze rechtte haar rug en ging naar buiten. Beer stond in de hal te praten. Zijn ogen lichtten op. 'Ha Elsie, dit is de stadsarchivaris. Hij heeft me ook deze keer weer geweldig geholpen.'

Er werden handen geschud en even later stond het tweetal buiten in de zon. Snel keek ze om zich heen. Thomas ten Doorenhof was nergens te bekennen. Ze haalde, letterlijk, opgelucht adem. Ze voelde zich weer helemaal gewoon en glimlachte tegen Beer. 'En nu snak ik naar koffie.'

'Anders ik wel. Kom mee, meisje.'

'Meisje,' meesmuilde ze terwijl ze naast hem liep, 'en dat voor een vrouw die heel hard naar de veertig toesnelt.'

Ze gingen een leuk cafeetje binnen met uitzicht op de haven. Ze vonden een tafeltje in het zonnetje achter het raam. 'Ze hebben hier heerlijke appelpunten. Met slagroom!' vertrouwde Beer haar met een knipoog toe.

'Ik dacht dat jij af wilde vallen?'

'Dat was kort na nieuwjaar. Helaas ben ik net als de meeste mensen en verdwijnen de goede voornemens sneller dan me lief is. Ik hou nu eenmaal van koek en zoetigheid, van een goed glas wijn en helaas ook nog eens van lekkere hartige hapjes. Maar het is ook slecht voor een mens om altijd streng voor zichzelf te zijn, altijd te hongeren en dwangmatig te trainen voor de halve marathon. Mijn broer is zo'n gezondheidsfreak.'

Hij schudde meewarig het hoofd en Elsie schoot in de lach. 'We gaan lekker samen zondigen. Appeltaart met slagroom en ook een glaasje wijn, goed?'

Ineens drong het tot haar door, hoeveel behoefte ze had aan die wijn, na het voorval met Thomas. Moest ze Beer vertellen wat er was gebeurd? Nee, ze zou er het verstandigst aan doen, het tegen niemand te vertellen. Waar ze zich het meeste zorgen om moest maken, was haar eigen overtrokken reactie. Thomas hield van gewaagde opmerkingen en van flirten op het randje. Dat wist ze toch? Ze moest zich niet meer zo kwetsbaar opstellen. Ze moest hem zoveel mogelijk uit de weg gaan, en als dat niet lukte zoals vanmiddag, dan moest ze haar antwoord klaar hebben in plaats van zich zo in te laten pakken. Ze nam zich voor, dat ze mondiger op zijn uitdagende gedrag zou reageren. Op dat moment geloofde ze werkelijk dat te kunnen.

De koffie kwam, de appeltaart ook. Ze genoot er niet zo van omdat ze naar de wijn verlangde. Beer vertelde ondertussen ontspannen over zijn aanwinsten uit het archief. Ze liet zich zijn gezelschap behaaglijk aanleunen.

Ineens zag ze hem lopen, tussen de mensen die het café passeerden. Haar adem stokte. Haar ogen volgden hem. Beer, met zijn grote opmerkingsgave, zag dat er wat was en zijn ogen volgden haar blik. 'Wel, wel, de buurman, maar je kijkt niet bepaald verheugd.'

Ze bloosde hevig en beet op haar lip. Haar handen trilden. 'Wil je alsjeblieft vast een glas wijn voor me bestellen, Beer?'

Hij wenkte de ober. 'Hij heeft ons niet zien zitten, dus je hoeft niet zo angstig te kijken.'

De wijn kwam, en ze nam twee flinke teugen zodat het glas meteen half leeg was. Hij fronste zijn wenkbrauwen, maar zei niets. Ze slaakte een diepe zucht van opluchting. 'Is hij echt weg?'

Beer knikte, leek aan te voelen dat er iets grondig mis was en liet nog twee glazen wijn komen. Ze dronk het eerste glas leeg, zodat de ober het meteen mee kon nemen. 'Je moet me maar eens vertellen wat je zo dwars zit, als je wilt, Elsie, maar dit is waarschijnlijk niet de geschikte plaats.'

'Het spijt me zo, Beer, het was juist zo gezellig.'

'Ben je misschien verliefd op Thomas? Reageer je daarom zo?'

'Heremijntijd, nee!' Ze keek nu echt onthutst en hij was duidelijk opgelucht. 'Het kon zijn. Het is een charmante kerel om te zien.'

'Thomas heeft de vervelende gewoonte uitermate vrijpostige opmerkingen te maken en ik denk ook wel, dat hij in mij... nu ja, hij wil met me naar bed, gewoon voor de lol en verder niet. Zeker na wat ik vorig jaar heb meegemaakt, komt dat helemaal verkeerd aan. Dat wil hij maar niet begrijpen. Ik doe al weken lang mijn best om hem te ontlopen. Je weet wat er is gebeurd toen Francine en ik bij jou kwamen eten. Sandra reageert net zo op hem als ik, maar hij begrijpt het maar niet.'

'Volgens mij begrijpt hij het donders goed en beleeft hij er een boosaardig genoegen aan om jullie op die manier van streek te brengen. Sommige mensen, en dan vooral mannen, zijn geobsedeerd door seksualiteit. Met zulke mensen moet je uitkijken, Elsie.'

'Ik hoop dat hij snel een nieuwe vriendin krijgt.'

'Hij komt niets te kort, hoor. Er gaan verhalen genoeg over hem. Hij pikt heel vaak meisjes en jonge vrouwen op in zijn stamcafé, er zijn er genoeg die wel eens met een bekende schrijver de koffer in willen, alleen al uit nieuwsgierigheid.'

'Ik begrijp zoiets niet.'

'Nee, jij bent anders en dat siert je alleen maar.'

'Het klinkt zo ouderwets en preuts.'

'Dat is heel wat anders. Je hebt normen en waarden. Dat is heel wat gezonder dan een obsessie.'

Toen bloosde ze opnieuw hevig. 'We moesten het maar liever over iets anders hebben.'

Hij lachte hardop, hief zijn glas wijn op en zij stootte het hare er tegenaan. 'Je hebt gelijk. Thomas ten Doorenhof is het niet waard, dat ik me zo druk om hem maak.'

'Vergeet dat nooit meer.'

Ze waren al bijna thuis toen ze hem aarzelend vertelde, dat ze Thomas al eerder ontmoet had in de stad. Ze zuchtte en ging toen verder: 'Hij is net een duivel die uit zijn doosje springt en juist dat maakt me telkens zo van streek. Hij duikt altijd op als ik er het minst op verdacht ben. De schutting om de tuin geeft me thuis het gevoel dat ik veilig ben, maar ik word zenuwachtig van dat doorlopende opletten. Zelfs als ik het tuinhek uitga om met Merlijn naar het strand te gaan, loop ik al te spieden of hij niet ergens opduikt.'

'Als je je zo door hem laat leven, is er maar één oplossing: verhuizen.'

'Moet ik me mijn duinhuis uit laten jagen? Nooit! Een plek om te wonen zoals mijn huis vind ik nooit meer.'

'Dat is waar, maar naast de perikelen met je buurman, kleven er ook nare herinneringen aan dat huis, zowel voor jou als voor Sandra.'

'Dat weet ik wel. Die zou ik graag willen uitbannen, maar toch...'

'Het is een kwestie van afwegingen maken. Of je leert leven met je herinneringen en je opdringerige buurman, of je moet met een minder fraaie omgeving genoegen nemen. Je zult in ieder geval een hele goede prijs voor je huis krijgen, als je ooit besluit het te verkopen.'

'Ik weet het. Vooral in het begin heb ik er wel over gedacht om het te verkopen, maar toch... die stek.... misschien ga ik het hele huis wel grondig verbouwen om de herinneringen aan vroeger te laten verdwijnen.'

'Dat moet je zelf weten, maar probeer dan in ieder geval je buurman te accepteren zoals hij is. Hij zal niet veranderen, Elsie. Naast zijn opgehitste gevoelens speelt er beslist een machtsaspect mee. Sommige mannen genieten ervan een vrouw in het nauw te drijven en hij weet precies hoe hem dat bij jullie lukt. Hij zal niet ophouden tot hij beseft dat het jullie niet meer raakt.'

Meteen dacht ze aan het lelijke machtsaspect, dat ze in zijn horoscoop had gevonden en ze keek Beer nadenkend aan. 'Macht, ja, daar zeg je een waar woord. Astrologie geeft de beoefenaar inzicht in het menselijk karakter. Die behoefte aan macht was juist wat me het eerste opviel, toen ik Thomas' horoscoop bekeek. Macht. Lieve Beer, je hebt me een hoop duidelijk gemaakt.'

'Ik? Ik weet geen barst van astrologie. Het gaat me te ver om te beweren dat het baarlijke nonsens is, want ik besef dat er in heel veel dingen beslist een kern van waarheid zit, dingen waarvan de nuchtere mens al snel zegt dat het niet waar kan zijn. Maar er wordt aan de andere kant beslist ook veel schromelijk overdreven.'

'Dat ben ik roerend met je eens. Ik stoor me vaak aan astrologen die doen alsof alles in de sterren staat. Als dat waar was, had astrologie niet zo'n dubieuze naam.'

'Ik ben blij dat je zo nuchter met je hobby omgaat.'

'Jij moet niet veel van paranormale zaken hebben?'

'O, er is beslist meer tussen hemel en aarde dan wij met onze nuchtere wetenschappelijke methoden aan kunnen tonen. Er gebeuren dingen waar we niets van snappen, maar het is even dom om dat te ontkennen als om er een hele heisa van te maken. In alternatieve kringen wordt het onbegrijpelijke te veel omringd met een waas van heiligheid. Kleine bijzondere gebeurtenissen worden opgeblazen tot magie en wat al niet meer. Zo houden ze in die kringen zelf hun slechte imago in stand. Maar ieder weldenkend mens maakt in zijn leven dingen mee die hij niet kan verklaren. Voorgevoelens, dromen die later uitkomen, het is er al zolang de mensheid bestaat. Het past de mens om nuchter en met veel gezond verstand met paranormale zaken om te gaan. Jij staat in dat midden en zo kijk ik er eigenlijk ook tegenaan.'

'Ik ben zo blij dat je dat zegt. 'Mensen kunnen soms zo vreemd reageren, als ze horen dat ik een horoscoop kan berekenen. Ze verwachten dat ik dan ook meteen 's nachts op bezemstelen vlieg of dat mijn huis vergeven is van de zwarte katten. Hè jammer, we zijn er al.'

Hij grinnikte. 'Zullen we nog een glaasje wijn drinken?'

'Graag. Kom binnen.'

Boven was de herrie weer enorm. 'Je moet dat kind een koptelefoon cadeau doen,' mompelde hij hoofdschuddend.

'Ik ga even zeggen dat ik er weer ben.'

Sandra was niet alleen. Ze stond midden in haar kamer op de muziek te dansen met een vlotte jongeman. Merlijn lag op haar bed en sliep door de herrie heen. Sandra bloosde toen ze haar moeder zag. 'Ik ben er weer,' zei Elsie bedremmeld.

'Mam, dit is Joost. Mag hij straks blijven eten?'

'Maar natuurlijk.'

Weer beneden schudde ze het hoofd, terwijl ze twee wijnglazen vulde. 'Joost is er. Dat is haar vriend.'

'Wees maar blij. Na wat er met haar gebeurd is, kunnen veel jonge vrouwen niet meer gezond met de andere sekse omgaan. Je mag best opgelucht zijn, Elsie.'

Ze knikte. 'Ik heb je al eerder verteld over het schuldgevoel dat me maar blijft plagen. Dat zit me echt dwars, Beer. Ik krijg dat maar niet uit mijn hoofd.'

'Dan zul je toch professionele hulp moeten gaan zoeken. Je hebt op eigen kracht gedaan wat in je vermogen lag. Je verschilt niet van de meeste andere vrouwen, die in dezelfde situatie terechtkomen.'

'De wereld denkt daar anders over.'

'De mensen denken zo vaak anders over dingen waar ze nooit mee te maken hebben gehad.'

Ze zuchtte. 'Je hebt alweer gelijk, maar toch...'

'Ga er eens over praten. Heus, praten helpt..'

'Nu moesten we het maar over iets anders hebben. Wanneer moet dat artikel af zijn, Beer?'

Ze praatten over zijn werk, over Francine, over hun honden en ten slotte nog even kort over Thomas. 'Ik hoor zijn auto, hij komt thuis,' zei Beer toen hij met zijn jas bij de voordeur stond.

'Ik heb over je woorden nagedacht. Je hebt gelijk, ik laat me niet langer door Thomas ringeloren. Als hij zich op blijft dringen, zal ik aangifte doen bij de politie wegens lastigvallen. Kan dat, denk je?'

'Dan moet hij het nog veel bonter maken. Het zal meer helpen, de publiciteit te zoeken. Misschien schrijf ik binnenkort wel een artikel over stalkers. Weet je wat een stalker is?'

Ze knikte. 'Ja, mannen die nog een graadje erger zijn dan Thomas.'

Hij glimlachte. 'Ga anders op judo. Dag Elsie, we moeten dit beslist nog eens vaker doen.'

Ze was het roerend met hem eens.

Na een week was ze minder bang om Thomas onverwacht tegen het lijf te lopen als ze Merlijn uitliet. Voor ze het tuinhek uit durfde, moest ze twee glazen wijn drinken om moed te verzamelen. 's Morgens wandelde ze op het strand, want hij sliep toch een gat in de dag.

Gelukkig ging het met Francine redelijk goed. Ze kreeg haar tweede chemokuur en Beer bracht haar naar het ziekenhuis. Met een infuus kreeg ze medicijnen toegediend. Dat duurde ongeveer anderhalf uur. Francine was daarna altijd moe en wat terneergeslagen. Daarom zou het niet goed zijn, zelf achter het stuur te gaan zitten. Na een dag of twee voelde ze zich het beroerdst van de geneesmiddelen die in haar lichaam hun werk moesten doen. Ze was inmiddels helemaal kaal en droeg altijd een pruik, die ze alleen 's nachts afzette en weer opdeed zodra ze 's morgens onder de douche vandaan kwam. Zelfs Elsie zag haar niet één keer met kaal hoofd. Ook Francine's wimpers en wenkbrauwen vielen uit. Bij een schoonheidsspecialiste had ze wenkbrauwen laten tekenen volgens een methode die veel leek op het aanbrengen van een tatoeage. Ze droeg nu elke dag kunstmatige wimpers. Alleen als je goed keek, zag je het verschil. Ach ja, Francine was altijd ijdel geweest.

Ze hadden inmiddels goede afspraken gemaakt over de openingstijden van de galerie. Elsie zou de galerie doen, die vlak voor het paasweekeinde weer open ging.

Francine schilderde alleen maar, het beeldhouwen viel haar momenteel te zwaar. De dokters waren tevreden over haar, dus ze keek voorzichtig weer wat verder vooruit dan alleen de komende paar weken. Als alles achter de rug was, wilde ze een mooie vakantie gaan houden. Ze zou het fijn vinden als Elsie dan met haar mee wilde gaan. Die voelde er wel wat voor, vooropgesteld dat ook Sandra mee wilde, of dat het meisje zolang bij Bram en Gre logeerde. Ze wilde haar niet alleen thuis laten.

Het was een heerlijke voorjaarsdag geweest in de week voor pasen, toen op een avond de bel ging. Elsie deed zonder verder nadenken de deur open. Ze schrok toen ze Thomas zag. Hij droeg een kamerjas. Onmiddellijk kwam alle onderdrukte angst weer boven. Met uiterste inspanning hield ze haar gezicht in de plooi, en dacht aan alles wat Beer had gezegd. Ze was vastbesloten hem geen macht te verlenen door haar ontsteltenis te laten blijken.

'Mijn koffie is op en ik heb wat te veel wijn gedronken, vanmiddag, dus ik kan wel een sterk bakje gebruiken. Heb je misschien een pak voor me te leen, Elsie?'

Ze aarzelde een fractie van een seconde. Doe gewoon, zei een stemmetje in haar. Laat vooral niets merken. Als je niet bang voor hem bent, kan hij je niets maken.

'Momentje, Thomas. Ik zal er even een pakken.'

Ze had altijd genoeg levensmiddelen in voorraad in de ruime kast in haar bijkeuken. In de veronderstelling dat hij in de hal zou wachten, haastte ze zich om het gevraagde te gaan halen. Ze beet op haar lip toen hij haar achterna kwam. Hij stond voor de glazen schuifpui. 'Je tuin is nu wel erg besloten, vind ik.'

'Met Merlijn is dat het gemakkelijkste. Ik ben stapel op die hond en wil hem voor geen goud kwijt. Het is fijn te weten dat hij er niet uit kan. Hier, je koffie.'

'Wat doe je afstandelijk. Zullen we een glaasje drinken, jij en ik?'

'Je zei dat je al te veel op had. Als je een glaasje wilt, moet het limonade zijn.'

'Jasses, Elsie.'

'Nu, vooruit dan maar.' Ze voelde zich sterk nu haar eerste schrik voorbij was. Ze moest sterk blijven. Hij was haar buurman, ze kon hem niet ontlopen en ze zou zich niet langer op stang laten jagen, dacht ze vastberaden. Als ze niet langer bang voor hem was, hield hij wel op met zijn spelletjes. 'Eén glaasje dan. Ik stond op het punt naar Francine te gaan.'

Ze wist niet of hij haar geloofde, maar maakte dat wat uit? Het was ook niet waar, want ze was er vanmiddag al geweest. Ze wilde alleen maar dat hij zo snel mogelijk weer op zou hoepelen. Ze zette twee gevulde glazen op tafel. 'Proost, Thomas. Drink dit op en ga dan maar snel thuis koffie zetten.'

'Waarom zet jij die niet? Zullen we straks nog uitgaan? Ik weet een gelegenheid waar je plezierig kunt dansen...'

'Nee dank je, ik ben moe en als ik bij Francine ben geweest, ga ik meteen slapen.'

'De avond is nog zo jong.'

'Voor jou, ja, maar ik ben geen nachtuil. Ik leid een degelijk, regelmatig leven. Zo'n leven waar jij geen barst aan vindt en waar je op neerkijkt omdat je het veel te burgerlijk vindt.' Ze nam een flinke slok. Dit was haar derde glas al, die avond. Door de twee eerdere glazen was ze redelijk ontspannen, zelfs in zijn gezelschap. 'Vlot je verhaal weer een beetje, of heb je nog steeds last van dat schrijversblok?'

'Ik ben de afgelopen dagen redelijk opgeschoten, maar de komende week zal er niet veel van komen, want ik heb een dag lang televisieopnamen in mijn huis. Kom je kijken?'

'Ik niet. Ik wil helemaal niet met mijn hoofd op de televisie.'

'Dat meen je niet.'

'Ik wel. Maar als het uitgezonden wordt, zal ik kijken.' Ze vroeg maar niet waar het over ging. Hij zette zijn wijnglas weer neer dat hij in recordtempo had geleegd. Dat was ook niet gezond meer, zoveel als hij dronk, dacht ze schamper. Prompt kwam erachteraan: maar ben jij niet hard op weg om net zo te worden?

Ze stond op, zijn glas was leeg en het hare ook. 'Ik moet weg, Thomas, dus als je het niet erg vindt...'

'IJspegeltje! Ik wil best nog even blijven.' Zijn kamerjas gleed open. Hij had een kleine, vuurrode tangaslip aan, die half doorschijnend was. Ze wist niet waar ze kijken moest en deed dus maar een poging leuk te zijn. 'Goh, ik wist niet eens dat ze dergelijke dingen voor mannen verkochten. Zeg Thomas, je loopt er werkelijk mee voor joker, weet je dat?'

Ze bracht het op om hem uit te lachen. Hij keek haar ontdaan aan en was binnen drie tellen verdwenen.

Zie je wel, als je geloofde dat je sterk was, dan was je het ook!

13

Merlijn danste om haar voeten. Het was een verrukkelijke voorjaarsdag, overal begon de natuur uit te lopen. De zon scheen uitbundig en er stond een aangenaam briesje. Slechts een enkele keer school de zon weg achter een eenzame witte wolk. De kop van Schouwen onderging in deze dagen een complete metamorfose. Terrasstoelen werden overal buiten gezet en strandtenten weer opgebouwd. Alles werd klaargemaakt voor de eerste invasie van toeristen, die in dit weekeinde voor de deur stond.

De volgende dag zou Elsie voor het eerst in de galerie van Francine staan. Ze keek ernaar uit en zag er ook een beetje tegenop. Natuurlijk had Francine haar alles verteld, over het werk, over de prijzen, over de gebruikelijke gang van zaken.

Francine zag bleek. Elsie stelde voor dat ze lekker buiten in de zon moest gaan zitten schilderen. Haar grauwe huidskleur van de chemokuur zou dan misschien wat wegtrekken. Als Francine ergens naartoe moest, maakte ze zich meer op dan ze vroeger had gedaan. Ook controleerde ze meerdere malen of haar pruik wel goed zat. Elsie had haar nog nooit zo onzeker gezien, maar ze begreep dat best.

Ze haalde diep adem. Het was heerlijk op het strand, nog rustig op deze woensdag, er waren nauwelijks nog badgasten. Het grauwgrijze water kabbelde rustig tegen de kustlijn aan. In de verte liet een man met een kind een vlieger op. Elsie glimlachte. De strandtent was al open. Ze zou er lekker een kopje koffie gaan drinken, en een kwartiertje achter het glas van het zonnetje genieten. Daarna zou ze naar Zierikzee rijden om nog een nieuw handwerk te kopen, om aan te werken als het stil was in de galerie. Als Francine het wilde, konden ze dan wat kletsen. Ze keek er naar uit. Het zou goed zijn om meer regelmaat in haar leven te krijgen. Het leek haar leuk om op een heel andere manier in contact te komen met toeristen. In het pinksterweekend zou ze haar eerste workshop over astrologie geven. Ze was benieuwd of er veel animo voor zou zijn.

Merlijn kreeg een bak water op het terras. De eigenaar van de strandtent, die Lars heette, glimlachte.

'Je bent een van mijn eerste klanten dit seizoen, Elsie, dus je krijgt gratis appelgebak bij de koffie.'

Ze kende Lars al een paar jaar, omdat hij hier elk zomerseizoen zijn strandtent dreef.

Op dat moment drong het tot haar door. Ze voelde zich gelukkig. Voor het eerst in vele maanden was dit zo'n moment, waaraan haar leven vroeger zo rijk was geweest. Ze was gelukkig. Tevreden. Vanaf nu zou het haar lukken haar leven weer op de rails te krijgen, beloofde ze zichzelf. Ze zou voortaan niet meer drinken dan twee glazen wijn per dag. Ze zou meer gaan bewegen, want ze was de laatste maanden toch al snel een kilo of vijf zwaarder geworden. Ze zou...

Merlijn verstoorde haar aangename gedachtenstroom, want hij was het nog lang niet moe om achter een stok aan te rennen en sprong nu tegen Elsie op met de stok in zijn bek en zijn staart hevig kwispelend.

'Jij hebt meer energie dan ik,' vertelde ze het hondje, dat inmiddels zindelijk was en goed groeide. Zijn vacht begon het nesthaar te verliezen en ook de bruine vlekken in zijn vacht kregen gaandeweg een donkerder kleur. Hij was alweer zes maanden oud. Sandra had al gezegd dat ze er best een tweede hond bij wilde, maar dat had Elsie nog even afgehouden. Eerst moest ze haar leven weer op orde hebben. Op dat moment, op het terras in dat heerlijke voorjaarszonnetje, geloofde ze ook werkelijk dat ze het kon, dat het leven weer gelukkig zou worden en dat ze er eindelijk weer greep op kreeg.

Op dat moment viel er een schaduw over haar heen, die ook symbolisch was, maar dat besefte ze pas later.

'Zo buurvrouw, lekker aan het genieten van het zonnetje? Waar is je mini-bikini?'

Ze schrok en ging rechtop.

'Dag, Thomas. Ruzie met de pen?' Uiterlijk bleef ze kalm, ze zou niet meer laten blijken dat ze bang was. Al was het met de moed der wanhoop!

Hij wenkte naar Lars en bestelde zonder overleg twee glazen rode wijn. 'Nee lieverd, ik heb net ontbeten en moet even inspiratie opdoen.'

Ze wierp een tersluikse blik op haar horloge. Half drie. 'Laat ontbijt en vroege wijn,' was haar droge commentaar. Ze voelde hoe de spanning bezit nam van al haar spieren. Er kwam een licht drukkend gevoel op in haar hoofd. Ze nam Thomas steels op. Zijn gezicht stond onbekommerd, zijn ogen waren een beetje bloeddoorlopen van de alcohol. Ze huiverde. Was ze niet hard op weg hetzelfde te worden?

Toch nam ze een flinke slok, zodra de glazen voor hen werden neergezet. Hij deed hetzelfde. Hij was een gewoontedrinker, peinsde ze, en zijzelf dronk om spanningen te verjagen. Een andere manier wist ze niet. Ze zuchtte. Merlijn bracht zijn stok nog maar een keer. 'Nee, boefje van me, niet hier. Het wordt drukker. Wat een heerlijk weer, hè?'

Hij knikte. 'Zonde om aan het werk te gaan. Ik wacht wel tot vanavond. Zullen we wat gaan ondernemen? Ik wil graag een wandeling maken langs het naaktstrand. Goed voor mijn inspiratie.'

'Jij liever dan ik.' Haar glas was nog niet leeg, maar ze kwam overeind alsof ze door een wesp gestoken was.

'Jij mag mijn glas ook leegdrinken, want ik heb geen tijd meer. Tot ziens, Thomas.'

Hij leek een beetje geërgerd. 'Waarom ga je er nu als een haas vandoor?'

'Omdat ik nog naar de stad moet. Ik wil weer thuis zijn als Sandra om een uur of vier uit school komt.' Ze dwong zich opnieuw om kalm te blijven, hoe zwaar haar dat ook viel.

'Zal ik met je meegaan? Dan pikken we daar ook een gezellig terrasje en...'

'Nee dank je, Thomas.'

'Waarom heb ik toch het idee dat je me ontloopt?'

Het overviel haar. Ze probeerde rustig adem te halen, want ze voelde een aanval van hyperventilatie opkomen. 'We zijn buren, maar verder hebben onze levens niet veel raakvlakken. Dan moet je niet om de haverklap bij elkaar over de vloer komen.'

Zo, dat had ze toch maar mooi uitgedrukt! Ze werd wat kalmer. Ze trok haar vest aan en Merlijn slurpte nog wat uit de waterbak.

'Daar denk ik heel anders over. Jij bent een mooie vrouw met een sensuele uitstraling. Ik mag graag een beetje fantaseren over hoe het tussen ons zou kunnen zijn, als jij niet steeds weg moest als ik opduik.'

Ze beet op haar lip en voelde dat ze bloosde. 'Je fantaseert maar raak, maar ik zou je dringend aanraden om dat over een andere vrouw te doen. Ik ben te nuchter voor zoiets, Thomas. De grootste fascinatie in jouw leven hangt in je onderbroek en eerlijk, mij boeien heel andere dingen.'

Hij grinnikte door de onverbloemde manier waarop ze hem de waarheid zei. Lars, die kennelijk iets had opgevangen, gaf haar een vette knipoog. Ze schaamde zich diep. 'Geef je ogen hier goed de kost, Thomas. Vanaf morgen zitten hier hordes vrouwen, jonger en strakker in het vel dan ik, en misschien wel met dezelfde fascinatie als jij. Nu moet ik echt gaan.'

Ze liep naar binnen om af te rekenen. 'Goed zo, wijffie, geef die schuinsmarcheerder maar lik op stuk. Ik heb al veel rare verhalen over hem gehoord. Als ik hem op televisie zie, kan ik me dat maar al te goed voorstellen.'

'Ik krijg gewoon de kriebels van hem, maar dat wil hij maar niet snappen. In elke zin die gezegd wordt, lijkt hij wel iets te ontdekken dat... Lars, ik zou er heel wat voor overhebben om gewoon een gezellig buurvrouwtje te hebben met een knot in het haar en een bloemetjesschort voor. We hebben al een hoge schutting om de tuin moeten zetten om ons nog enigszins vrij te voelen.' Ze zuchtte. 'Het is niet aardig van me om hier over hem te staan kletsen. Je ziet me binnenkort nog wel eens.'

'Graag Elsie.' Hij lachte, zijn blonde haar en open gezicht deden prettig aan. Hij zou tegen de dertig zijn, schatte ze. Lars was in de afgelopen jaren enorm populair geweest onder de vrouwelijke toeristen en dat deed zijn zaken zeker goed. 'Tot ziens dan maar.'

In de stad viel de spanning van haar af. Nu het zomerseizoen weer aanbrak, merkte ze wel hoe ze hele dagen bang was om Thomas onverhoeds tegen het lijf te lopen. Dat gaf een voortdurende druk. Ook Sandra voelde zich niet meer op haar gemak, bang als ze was dat hij weer in zijn blootje ergens rond zou lopen of vervelende opmerkingen zou gaan maken.

Het drong op dat moment nog niet tot Elsie door, dat hij besefte hoe ze zich ergerde en dat juist dat zijn fascinatie voor haar vergrootte.

De volgende dag was ze zenuwachtig voor haar eerste middag in de galerie, maar er kwamen slechts twee klanten en geen van beiden kochten ze iets. 'Ben je teleurgesteld?' vroeg ze aan Francine, nadat ze de galerie om half vijf had afgesloten.

'Helemaal niet. Eigenlijk verkoop ik hoogst zelden meteen iets. Geïnteresseerden komen meestal een paar keer kijken, voor ze een keus maken.'

‘Dat kan ik me ook wel voorstellen. Je vraagt behoorlijke prijzen.’

Francine glimlachte. ‘De laatste paar jaar begin ik geleidelijk naam te maken. Dat komt ook doordat ik een paar tentoonstellingen heb gehad. Ik verkoop goed, soms twee of drie stukken per maand. Ik zou wel een hoek in willen richten voor beginnende kunstenaars, die ik gratis laat exposeren als hun werk me aanspreekt. En ik ben gevraagd voor een expositie in New York, komend najaar. Misschien ga ik daar wel op in. Tegen die tijd is de galerie weer dicht, en ik ben dan klaar in het ziekenhuis.’

‘Ik vind het heerlijk om je weer toekomstplannen te horen maken, Francine.’

‘O, maar ik ben heel wisselend. Het ene moment ben ik uiterst somber over mijn toekomst, en het andere moment heb ik goede hoop dat de dokters me kunnen helpen. Alleen al omdat ik er vroeg bij was.’

Francine vroeg haar of ze een glas wijn wilde, de verleiding was groot, maar ze hield het toch maar op koffie.

‘Verstandig. Je drinkt veel meer dan ik van je gewend ben.’

‘Dat is waar, maar ik ben al geminderd.’

Ze hoopte, dat ze het waar kon maken.

Aan het eind van de week daarop kwam Thomas onverwacht naar de galerie. Hij bekeek geïnteresseerd, hoe kon het ook anders, het enige vrouwelijke naakt dat in de galerie hing. Daarna nodigde hij zichzelf uit om een glas wijn met elkaar te drinken. Hij vertelde dat zijn nieuwe boek maar niet wilde vorderen, omdat zijn gedachten te veel met iets anders bezig waren. Waarmee, dat zei hij niet en de beide vrouwen hadden daar ook geen belangstelling voor. Ze wisten maar al te goed in welke richting ze het moesten zoeken.

‘Hij is vast verliefd,’ lachte Elsie toen hij weer was vertrokken.

'Laten we het hopen, dan laat hij jou met rust. Hij vreet je haast op met zijn ogen, Elsie. Kijk alsjeblieft uit, want het is gewoon ongezond.'

'Het enige dat hem in mij boeit is het feit dat ik niet te krijgen ben,' was haar reactie. Daarmee zat ze veel dichter bij de waarheid dan ze besefte. Hij was het niet gewend dat vrouwen onverschillig bleven onder zijn charmes. Alleen al het feit dat hij een gevierd schrijver was, die regelmatig op de televisie kwam, trok veel vrouwen aan. Zij kenden bovendien niet de grote obsessie in zijn leven, en vonden het heel gewoon dat zijn boeken net als veel andere literatuur bol stond van de seksueel getinte verhalen. Seks en geweld verkocht, in boeken en op de televisie, dat was een feit.

Hoe meer Elsie hem op afstand hield, zeker nu in het voorjaar, nu iedereen veel meer buiten was dan in de afgelopen wintertijd, hoe meer Thomas door haar houding gefrustreerd werd en hoe meer hij met zijn gedachten met Elsie bezig was. Op de laatste dag van april, toen heel Nederland oranje gekleurd was, kwam het eerste telefoontje.

Het was een uur of negen in de avond. Samen met Sandra had Elsie een poosje naar de televisie gekeken, daarna waren ze in het dorp geweest om te kijken naar zaklopende kinderen, naar het koekhappen en meer van die onuitroeibare Hollandse genoegens. Ze hadden op een terrasje poffertjes gegeten en een oranjebitter gedronken, en ze waren nog even bij Francine langs geweest. Sandra was kort daarvoor vertrokken om met Joost naar het vuurwerk te gaan kijken.

Ze hoopte dat het Beer was, de laatste tijd was hij zo druk geweest met zijn artikelen, nu hij ook voor een grote provinciale krant schreef, dat ze hem nauwelijks nog had gezien. Ze moest toegeven dat ze zijn gezelschap miste. Bij Beer hoefde ze niet op haar hoede te zijn, zoals alle keren dat ze Thomas ontmoette.

'Met Elsie van Klaveren.'

Het bleef stil aan de andere kant van de lijn, maar ze hoorde iemand zwaar ademen.

'Hallo?'

Het was niet de eerste keer dat ze een hijger aan de lijn had. Maar ze schrok er wel van en ze moest onwillekeurig aan Thomas denken. 'Wat wilt u?'

Het hijgen werd zwaarder, er klonk een kreun. Alsof ze zich aan de telefoon brandde, gooide ze het ding neer. Om half elf ging de telefoon weer. Hetzelfde. En om vier uur 's nachts gebeurde het nog eens. Toen werd ze boos.

'Ik weet niet wie u bent, maar tegenwoordig bestaan er lijnen voor dit gedoe,' riep ze geïrriteerd in de hoorn. Ze legde de hoorn neer en besloot niet meer op te nemen voor ze op het antwoordapparaat had gehoord wie haar belde.

Opnieuw werd ze erg gespannen.

Twee weken lang werd ze er gek van. Drie, vier keer in de avond en nacht werd ze door de hijger gebeld. Ze durfde er intuïtief haar handen voor in het vuur te steken dat het Thomas was. Maar moest ze op hoge poten naar hem toe gaan en haar beschuldigingen uiten? Op grond waarvan? Ze belde het politiebureau om te vragen of de telefoontjes achterhaald konden worden, maar men reageerde nogal laconiek op haar probleem. 'Ach mevrouw, er gebeurt verder niets? Geen bedreigingen? Geen onbehoorlijke taal? Niemand die u opwacht?'

Teleurgesteld legde ze weer neer. Vanaf dat moment trok ze 's nachts de stekker uit de telefoon. Dan kon ze tenminste doorslapen. Als het zo bleef, zou ze een geheim nummer aanvragen, besloot ze toen ze het eindelijk aan Francine had verteld. Morgen ging ze een toestel kopen met nummerweergave bedacht ze ineens, en dat stelde haar uiteindelijk gerust.

Het weekend van hemelvaartsdag was gewoonlijk het drukste weekeinde in het jaar in de streek. Tot haar genoegen kwam ze eindelijk Beer weer eens tegen. Hij wandelde de galerie van Francine binnen. Zijn ogen dronken haar gestalte in, maar ze voelde zich niet gespannen door de manier waarop hij naar haar keek. 'Wat hebben we jou een tijd gemist. Ik dacht al dat je naar Timboektoe was verhuisd,' plaagde ze hem onbekommerd.

'Wil je me zo graag weg hebben?'

'Helemaal niet. Ik was al van plan eens bij je langs te gaan.'

'Heus?' Zijn ogen lichtten op en ze bloosde. Zou het echt waar zijn, dat Beer andere gevoelens voor haar had dan zij voor hem? Daar werd ze toch wel een beetje onzeker van.

Ze dronken thee met elkaar en Beer nodigde de beide vriendinnen uit om naar de Chinees te gaan. 'Vandaag? vroeg Francine ongelovig. 'Twee uur wachten op een hap eten? Minstens?'

Hij schudde zijn hoofd. 'Natuurlijk, daar had ik om moeten denken. Dit is niet de meest geschikte dag om uit eten te gaan. Het spijt me.'

'Ik heb genoeg in huis. Komen jullie maar bij mij eten,' stelde Elsie voor. 'Sandra is onverwacht met Joost op stap gegaan. Ik heb biefstukken in de vriezer, die in een handomdraai zijn ontdooid, ik heb sla en we kunnen krielaardappeltjes bakken.'

'Dat klinkt heerlijk. Het spijt me, dat we elkaar zo lang niet gezien hebben, Elsie. Zeg Francine, ik kwam eigenlijk om je lekkende kraan te repareren.'

Toen hij aan de slag was, boog Francine zich naar haar vriendin. 'Je leek blij om Beer te zien.'

'Dat was ik ook,' antwoordde ze oprecht.

'Weet je niet dat hij expres uit je buurt is gebleven, in de hoop dat je hem zou missen?'

'Beer? Maar waarom dan?'

'Lieve help, jij bent alsmaar met die vreselijke Thomas bezig, Beer zie je niet staan. Hij hoopte dat je hem zou missen, oen. Die indruk gaf je hem ook, daarom is hij nu fluitend aan het klussen.'

'Welzeker heb ik hem gemist, maar... ik... je bedoelt dat hij verliefd op me is?'

'Lieverd, hij aanbidt de grond onder je voeten, zoals dat heet.'

'Zulke gevoelens heb ik niet voor hem.'

'Dat weet hij en dat vindt hij jammer genoeg. Zelf zegt hij dat vrouwen niet vallen op een type als hij.'

'Misschien is dat ook zo... ik had er geen idee van, Francine. Eigenlijk dacht ik dat jij en hij... dat jullie misschien...'

'Ik hoef geen man meer, dat weet je. Ik vind het prettig om alleen door het leven te gaan. Aan een paar goede vrienden heb ik genoeg. Maar Beer... kijk Elsie, als er van jouw kant niets meer is, houdt alles op, maar anders... je zou geen betere man kunnen krijgen dan Peter van Scherpenzeel.'

Toen ze later thuis het eten voorbereidde, spookte dat aldoor door haar hoofd. Ze moest ervan huilen. Toen de telefoon ging, dacht ze dat het Beer was, die misschien wilde afzeggen. Het was het inmiddels overbekende gehijg. Ineens trok ze de stoute schoenen aan.

'Thomas, ik weet dat jij het bent, maar alsjeblieft, zoek een andere inspiratiebron voor die onfrisse boeken van je.'

Toen smeet ze de hoorn weer neer.

Een kwartier later ging de telefoon opnieuw. Boos nam ze op, klaar voor een hernieuwde aanval.

'Hallo, met Thomas,' klonk het alsof er niets aan de hand was. 'Elsie, ik vroeg me af of je misschien zin hebt om bij Lars een patatje oorlog te gaan eten.'

14

We hebben al oorlog, zelfs zonder patatje, wilde Elsie zeggen, maar ze slikte de woorden in. Niettemin verdraaide ze poeslief de waarheid een beetje. 'Het spijt me, maar Beer komt eten. Je herinnert je Beer nog wel. Hij is echt een geweldige kerel, Thomas. Dat is nog eens een man, die het een vrouw naar de zin weet te maken. Dus als je het niet erg vindt.' Ze legde de hoorn neer, voelde zich eerst opgelucht maar al snel ook beschaamd. Wat had ze nu weer gedaan? Waarom liet ze zich toch zo door Thomas ringeloren? Ze schonk een glas wijn in en sloeg dat achterover. Van alle goede voornemens om drastisch te minderen, was niets terechtgekomen. Dat kwam door het gedoe met die hijger, had ze als excuus.

Het zat haar niet erg lekker, maar toen haar bezoek kwam, was ze dat gevoel snel kwijt. Omdat het lekker weer was, stond de schuifpui open, de honden amuseerden zich kostelijk in de tuin.

'Ik heb je veel te lang niet gezien,' zei ze warm tegen Beer. Zijn blozende gezicht ontroerde haar. Zonder aarzelen besefte ze dat Francine wel eens gelijk kon hebben en dat Beer inderdaad warme gevoelens voor haar had.

Het werden gezellige uurtjes. Vanaf de duintop in haar tuin keken ze later op de avond naar het vuurwerk in de verte. Ze dacht even aan Sandra. Niemand wist hoe blij ze was dat haar dochter de verschrikkelijke dingen die ze had meegemaakt, zo goed had doorstaan en nu zelfs een vriendje had. Joost was een wat verlegen, maar aardige jongen. Hij werkte hard op school. Na het gymnasium wilde hij medicijnen gaan studeren. Dat hij arts zou worden, stond voor hem als een paal boven water. Elsie hield ervan als jongelui wisten wat ze wilden en niet te beroerd waren om moeite te doen dat te bereiken. Nu Sandra meer regelmatig met Joost omging, was de muziekherrie boven afgenomen. Ze besteedde meer tijd aan haar huiswerk. Kennelijk wilde ze niet voor Joost onderdoen, maar wat ze precies wilde gaan doen na school, wist ze nog niet.

Ze voelde zich plezierig, toen Francine en Beer weer vertrokken. Francine zag niet meer zo grauw en was zelfs twee kilo aangekomen. Voor een kankerpatiënt was er niets heuglijkers dan in gewicht aankomen. Beer had haar bij het weggaan verlegen een zoentje op de wang gegeven, omdat Francine dat ook deed, zei hij, en ze waren nu immers goede vrienden.

'Zo is dat,' reageerde ze met een glimlach. Ze zoende zijn wat ruwe wang terug. Hij rook lekker, van zo dichtbij. Het was maar goed dat hij geen gedachten kon lezen!

Ze liep met het tweetal mee naar het hek, waar Beer zijn auto geparkeerd had. Devil sprong er meteen in en voor ze er erg in had zat Merlijn naast hem, want hij was nu eenmaal gek op autorijden. Grinnikend tilde Beer hem er weer uit. 'Andere keer, Boris Boef. Vraag maar aan het vrouwtje wanneer ze weer eens mee wil, en dan mag jij ook mee.'

Nadat ze haar vrienden had uitgezwaaid, draaide ze zich om om het hek binnen te gaan en liep prompt in een paar uitgestrekte armen.

'Zo'n kusje wil ik ook wel.'

'Thomas! Schei toch uit met die gekkigheid. Je laat me schrikken.'

Dat was zwak uitgedrukt. Haar hart bonkte, toen ze impulsief een stap terug wilde doen, maar zijn armen hielden haar gevangen.

'Toe, waarom niet?' Direct daarop belandde zijn mond

op de hare, geen vriendelijk en nietszeggend afscheidskusje, maar een eisende kus met zijn armen als stalen banden om haar heen.

Ze duwde tegen zijn borst, ze werd misselijk, er sprongen tranen in haar ogen. Hij duwde zijn lichaam opdringerig tegen het hare aan, wreef met zijn borstkas heen en weer tegen haar borsten, ze voelde een golf van afschuw.

Toen hij haar eindelijk weer losliet voelde ze zich vies, besmeurd. Ze moest even aan Sandra denken en begreep min of meer hoe haar dochter zich had gevoeld als haar vader dingen van haar had geëist waar een kind helemaal geen weet van hoorde te hebben.

'Ik geef je aan bij de politie,' siste ze, uiterlijk boos, maar dat was alleen maar om vóor hem te verbergen hoe ontdaan ze zich voelde.

'Voor wat? Een kusje?' Zijn lach schalde haar na toen ze als een haas haar tuinpad op vluchtte.

Huilend bleef ze tegen de buitendeur staan, toen die achter haar was dichtgevallen. Toen ze weer bij haar positieven kwam, ging ze naar de badkamer om haar gezicht grondig te wassen. Ze beefde nog steeds. Zelden in haar leven was ze zo boos geweest. Ik ga verhuizen, was haar eerste opstandige gedachte. Ik bel Beer, was de tweede, maar wat bereikte ze ermee? Hij zou waarschijnlijk onmiddellijk komen, Thomas misschien de les willen lezen, maar wat zou ze ermee opschieten? Ze dacht aan wat ze had gelezen over stalkers. Mannen die hun attenties hardnekkig opdringen aan vrouwen die daar niet van gediend waren. Vaak ging het om ex-echtgenoten, maar niet altijd. Het waren altijd mannen die maar niet wilden of konden begrijpen dat hun attenties niet welkom waren. Het ging ook om macht, niet alleen om seks. Maar wat moest ze zich daarbij voorstellen nu het om Thomas ging? Zijn hele leven draaide om één ding. Het was walgelijk. Ze wist niet hoe ze er een einde aan kon maken. Ze voelde zich niet echt op haar gemak in de tuin rondom haar huis. Als ze naar buiten ging was ze doorlopend op haar qui-vive of hij niet onverwacht op zou duiken om haar lastig te vallen. Als de telefoon ging, schrok ze. Meestal luisterde ze eerst wie er insprak op het antwoordapparaat. Als het een gewoon telefoontje was, nam ze alsnog op. Dit was toch geen leven meer? Maar Thomas had gelijk, als ze naar de politie ging, zou ze vierkant uitgelachen worden.

Ze nam een glas wijn. Ze nam nog een glas wijn. Ze ging onder de douche, maar haar mond gloeide nog steeds. Dat was verbeelding, natuurlijk, maar toch voelde ze het.

Wat nu? Nog meer wijn? Ze was licht in haar hoofd geworden. Ze had vandaag zelfs meer dan twee flessen op, dat was te veel, echt te veel. Ze zou een beker warme melk maken. Daarna moest ze alle moed verzamelen die ze had, om Merlijn nog even uit te laten.

Als een bliksemschicht liep ze een piepklein rondje. Haar hart klopte in haar keel. Toen ze weer terug was en Merlijn in zijn mandje kroop om te gaan slapen, voelde ze zich verslagen.

Zo voelde ze zich nog, toen Sandra thuiskwam. Maar met alle kracht die ze in zich had trok ze haar gezicht in de plooi om vooral niets te laten merken. Als Sandra besefte dat ze bang was voor Thomas, zou ze zelf ook bang worden. Ze moest het belang van haar dochter voor alles stellen.

Leven was overleven geworden, besefte Elsie een week later. Het was net als vorig jaar toen alle narigheid begonnen was, toen Arend was gearresteerd. Ze had in de afgelopen weken even gedacht, dat ze alles had verwerkt. Als er geen nieuwe dingen waren gebeurd, was ze waarschijnlijk wel een eind op de goede weg gebleven, maar haar leven stond waarschijnlijk nog steeds onder een zwaar gesternte nu alles zo tegen bleef zitten.

Ze keek er haar eigen horoscoop nog eens op na. Ja, saturnus liep retrograde, dat wil zeggen voor het oog teruglopend. Vaak was de werking van de planeet dan moeizaam. Bovendien maakte de planeet binnenkort een exact vierkant met haar zon. Dat betekende astrologisch gezien, dat ze nog meer narigheid kon verwachten. Nee, zo moest ze niet met haar hobby omgaan, dat was niet goed. Astrologie was een prachtig hulpmiddel om een karakter te leren kennen, om op zoek te gaan naar iemands talenten en naar de dingen die moeilijk lagen. Je moest er niet je handel en wandel aan ophangen, dat had ze nooit goed gevonden. Ze legde de horoscoop weer weg.

Twee dagen later kreeg ze een kaartje uit Miami van Thomas. Was hij misschien op vakantie? Ze speurde die avond naar zijn huis, en inderdaad, alles bleef donker. Er viel een loden last van haar schouder. Ze moest ervan genieten dat haar kwelgeest weg was!

En dat deed ze ook. Ze voelde zich bevrijd. Ineens liep ze weer met plezier met Merlijn op het strand. Ze vond het niet erg meer om hem 's avonds laat uit te laten. Ze nam de hond mee naar de supermarkt en ze neuriede opgewekt als ze in haar tuin aan het werk was.

Het werk in de galerie vond ze echt leuk. Zwaar was het niet, eerder gezellig. De meeste bezoekers werden gedreven door nieuwsgierigheid. Francine werkte aan nieuwe schilderijen, ook al voor de tentoonstelling in New York, maar haar ziekte leidde haar zoveel af, dat ze er nooit erg tevreden over was.

Het pinksterweekend stond inmiddels voor de deur. De zaterdag ervoor gaf Elsie voor het eerst een workshop in haar eigen huis. Negen toeristen lieten zich uitleggen hoe een horoscooptekening was samengesteld, Elsie legde hen uit voor welke krachten de planeten symbool stonden. Ze vertelde dat een horoscoop verdeeld was in twaalf huizen, die elk een levensgebied vertegenwoordigden. De planeten die in die huizen stonden bij de geboorte of er later doorheenliepen omdat de hemel nu eenmaal altijd in beweging was, activeerden de krachten van die levensgebieden. Soms maakten ze alles gemakkelijker, zoals de vriendelijke jupiter. Soms werkten ze beperkend, zoals saturnus. Ze vertelde dat uranus symbool stond voor volkomen onverwachte zaken die het leven ondersteboven konden gooien of voor de behoefte aan vrijheid van de mens. Neptunus vertegenwoordigde in positieve zin dromerijen of mystieke krachten, maar in negatieve zin verslavingen of zelfs bedrog.

Aan het einde van de dag kreeg iedereen zijn horoscoop mee met een bescheiden computeruitdraai van het karakter en besteedde ze nog aandacht aan een van de belangrijkste punten in de horoscoop, de ascendant.

De reacties van haar gasten waren zonder uitzondering positief. Ze gaven allemaal aan, dat ze er eigenlijk nog veel meer over wilden weten. Elsie zei dat ze dat allemaal niet kon uitleggen, maar wie meer wilde weten, moest maar eens wat boeken lezen. Ze gaf een paar titels mee aan wie dat wilde.

Ze voelde zich die avond bijzonder tevreden.

Dat gevoel duurde nog voort toen ze de volgende middag in de galerie kwam. Nu het met pinksteren zo druk was op het eiland, waren ze bij uitzondering op zondag en maandag geopend. Er kwamen veel mensen, maar Francine zat met haar handen in haar schoot en deed niets. Ze had twee dagen geleden opnieuw een chemokuur gehad, de laatste. Toen de galerie weer gesloten was, ging Elsie bij haar zitten.

'Je bent zo stil. Gaat het wel goed met je?'

'Ik wilde het je niet laten merken, maar ik voel me zo down.'

'Lieverd, je maakt een zware tijd door. Het is toch logisch dat er dagen zijn dat je ertegen opgewassen bent, maar op andere dagen niet.'

'Het is zo vreemd om ineens in de overgang te zitten. Dat komt door de chemokuren. Ik ben kaal, mijn lichaam is verminkt en ik ben moe, dood- en doodmoe.'

'Kom, je bent hard op weg om weer beter te worden.

Probeer daar maar aan te denken.'

'Over drie weken beginnen de bestralingen. Elke werkdag moet ik naar het ziekenhuis, in ieder geval de eerste twee of drie weken, daarna drie keer per week, dan twee keer, en dan, Elsie, wat dan?'

'Dan ben je genezen en durf je weer aan de toekomst te denken.'

'Is dat zo? Soms ben ik zo vreselijk bang dat er voor mij geen toekomst meer is. Vandaag heb ik echt het gevoel dat alles me uit handen is geslagen. Wat ik de laatste paar weken heb gemaakt, is prutswerk. Het zou mijn goede naam aantasten als ik het zou verkopen.'

'Dan verkoop je het niet. Alle creatieve mensen maken periodes door, dat het hun niet lukt om goed te presteren. Dat moet je gewoon accepteren, het hoort erbij.'

Francine zuchtte. Eindelijk liet ze de tranen stromen die haar al de hele tijd dwars zaten. Elsie sloeg een arm om haar heen en troostte haar. Daarna maakte ze verse thee. Ze wilde eigenlijk het liefst naar huis om de wijn te nemen, maar dat stond ze zichzelf niet toe. Francine had haar nodig. Francine had steeds voor haar klaargestaan, vorig jaar, toen zij hulp nodig had gehad.

Nu wilde ze er op haar beurt voor haar vriendin zijn.

Net toen Francine weer gekalmeerd was en naar boven was gegaan om haar gezicht op te frissen en wat nieuwe make-up op te brengen, werd er geklopt. Het was Beer. Ze voelde haar hart opspringen, maar meteen zag ze dat hij niet alleen was. Een blonde vrouw met een prettig open gezicht verscheen achter hem.

'Hallo Elsie. Dit is Carlijn, ik wil haar graag aan Francine voorstellen en natuurlijk ook aan jou. 'Car, dit is Elsie, de astrologe over wie ik je verteld heb.'

Was Carlijn zijn vriendin? Ze gingen vertrouwelijk met elkaar om, ze kenden elkaar duidelijk goed. Tot haar verrassing voelde Elsie zich nogal van haar stuk gebracht. Het kostte haar moeite om gewoon te doen. Beer glimlachte doorlopend, boog zich regelmatig naar

Carlijn toe. De vertrouwdheid tussen die twee straalde van hen af. In tegenstelling tot Elsie, fleurde Francine helemaal op door het bezoek. Toen Elsie een half uurtje later vertrok, voelde ze zich allesbehalve plezierig en dat gevoel raakte ze die dag niet meer kwijt.

Twee dagen later brandde er weer licht in het huis van de buren. Meteen realiseerde Elsie zich, dat ze in de afgelopen tijd niet één vervelend telefoontje had gehad. Het bewijs dat Thomas de hijger moest zijn. Het gevoel van spanning kreeg haar weer te pakken.

Tot overmaat van ramp kwam Sandra twee dagen later helemaal overstuur thuis uit school.

Ze zag wit en was stil. Elsie zag het direct. Zonder wat te zeggen stoof het meisje de trap op. Elsie ging tien minuten later met een beker warme chocolademelk naar boven. Geen muziek, dit keer, dat viel meteen op. Ze klopte zacht en deed de deur open. Sandra lag met behuilde ogen op bed. 'Ik dacht dat je wel trek zou hebben in chocolademelk, lieverd.'

Wat zou er aan de hand zijn? Zou Joost het misschien uitgemaakt hebben? Had ze tegenslag gehad op school? Had iemand toespelingen gemaakt op de dingen die haar vader had gedaan? Alles was mogelijk.

'Ik hoef niets, mam.'

'Goed, meisje. Wil je me niet vertellen wat er is gebeurd?'

Ze schudde stil het hoofd en dat maakte haar moeder banger dan wanneer ze was gaan huilen. Wat te doen? Wat was wijsheid? Ze trok Sandra troostend tegen zich aan. 'Wat het ook is, meisje, ik ben er voor je. Onthoud dat.'

Het luchtte haar op, dat Sandra tegen haar aan kroop, zoals ze zo vaak had gedaan toen ze nog een kind was. Nu was ze allang geen kind meer, maar ze was ook nog niet volwassen.

'Ik dacht dat ik erover heen was, mam,' bekende het

meisje toen stilletjes, 'maar vandaag kuste Joost me. Toen kwam alles ineens weer boven.'

'Was het de eerste keer dat hij je kuste?' vroeg ze een beetje ongelovig.

'Nee, maar wel op deze manier. Hij duwde zich tegen me aan en ineens kwam alles weer boven. Ik wil dit niet, mam. Ik wil het vergeten. Het is afgelopen, voorbij. Ik ben jong en ik wil leven. Ik wil niet dat pap mijn leven nog steeds vernielt.'

'Het helpt niet als je ertegen blijft vechten. Je onderdrukt het misschien te veel en dan komt alles juist op de meest onverwachte momenten naar boven.'

'Dat weet ik wel, dat zei de psycholoog ook. Maar wat moet ik dan?'

'Heb je geprobeerd om Joost uit te leggen waarom je zo reageerde?'

'Nee.'

'Hij zal er nu niets van begrijpen, meisje. Je hoeft hem niet alles te vertellen, maar je kunt hem misschien wel duidelijk maken dat je zo reageerde vanwege de dingen die er vorig jaar met je vader zijn gebeurd. Dat begrijpt hij wel. Of wil je liever dat het uitgaat?'

'Was het dan al echt aan? Er zijn meisjes die al met hun vriendje naar bed gaan, maar dat wil ik niet, mam. De jongens willen het allemaal, onder elkaar scheppen ze er over op. Waarom zijn mannen zo?'

'Je moet ze niet allemaal over één kam scheren. Misschien moeten we nog eens met oom Bram gaan praten.'

'We? Het is mijn probleem, niet het jouwe.'

'Ik heb ook nog niet verwerkt wat er allemaal is gebeurd. Ik merk dat door de manier waarop ik op Thomas reageer. Misschien moet ik ook wel naar een psycholoog. Ik wil er evenmin aan toegeven als jij.'

'Ik was bang voor hem, mam, terwijl dat nergens voor nodig is. Joost is echt gek op me.'

'Probeer het hem dan uit te leggen. Je hoeft niets te

vertellen over wat er met jezelf is gebeurd, dat kan later altijd nog. Je kunt hem wel vertellen wat je vader met die andere meisjes heeft gedaan. Misschien heeft hij de verhalen ook al gehoord. Joost is een fijne knul. Hij zal vast en zeker begrijpen dat dat voor jou heel moeilijk is.'

'Wat moet ik toch doen? Ik wil het kwijtraken, er niet meer aan denken.'

'Ga eerst maar eens slapen. Ik maak een afspraak met oom Bram om buiten het spreekuur naar hem en tante Gre toe te gaan. Dan leggen we hen ons probleem voor. Kom, neem een tabletje.'

'Dat moest jij ook doen, in plaats van al die wijn,' klonk het vroegwijs.

Een half uur later zat ze alleen in de kamer. Sandra sliep. Ze had wijn ingeschonken. Toch. Ze staarde naar het glas en ineens stond het haar tegen.

Ze dronk te veel, dat bedacht ze elke dag. Toch ging ze ermee door. Het was een vlucht. Sandra had er meer van gemerkt dan ze had willen toegeven. Francine had het al een paar keer tegen haar gezegd. Was ze zo'n slappeling? Wees eerlijk, Elsie, je dacht op het goede spoor te zijn, maar dat is schijn. Het stelt niets voor. Je leven is een behoorlijke puinhoop. Je praat niet meer over je zorgen met je beste vriendin, om haar te sparen, maar toch. Je bent bang voor Thomas, nu hij weer terug is loop je weer als een bliksemschicht om je eigen huis heen. Er hoeft maar dát te gebeuren of je neemt je toevlucht tot drank. Het is een vlucht voor de werkelijkheid, die je maar niet onder ogen kunt zien. En Beer? Hij is een rots in de branding, maar je wilde hem niet te vaak zien omdat zijn gevoelens voor jou je in de war brachten en nu heb je te lang gewacht. Nu heeft hij een ander. Een ander, maalde het opnieuw door haar hoofd. Te lang gewacht.

Die laatste gedachte trof haar als een mokerslag. Ze had te lang gewacht. Was ze nu wél verliefd op hem? Of voelde ze zich alleen zo raar, omdat ze zich realiseerde dat ze er een puinhoop van had gemaakt?

Er zou puin moeten worden geruimd. Ze moest stoppen met wijn drinken. Ze moest stoppen met Thomas ontvluchten, maar hem met open vizier lik op stuk geven. Ze moest stoppen met bang zijn, ze moest Sandra tot steun zijn en ook Francine. Er moest regelmaat in haar leven komen, ze moest op een gezonde manier proberen haar leven weer op de rails te krijgen.

Maar had ze daar eigenlijk wel de kracht voor?

Toen barstte er een huilbui los die zich door niets liet tegenhouden. Een half uur later zette ze uitgeput thee. Ze moest nu beginnen, niet morgen, niet volgende week. Ze belde Bram en legde hem uit wat er die avond met Sandra en met haarzelf was gebeurd. Ze mocht de volgende middag komen, om een uur of vier, gewoon theedrinken met Gre en hemzelf. Sandra mocht meekomen, als ze wilde. Ze zouden de hoofden eens bij elkaar steken.

'Je hebt te lang geprobeerd te veel te dragen,' zei hij, 'en dat in je eentje. Dat kan niemand, Elsie.'

15

Ze sliep erg slecht, die nacht. Haar gedachten dwarrelden zo onrustig door haar hoofd! Als ze al even in slaap viel, werd ze al snel weer met een angstig gevoel wakker. Vroeger had ze nooit begrepen dat vrouwen zich bang lieten maken door mannen, maar nu keek ze daar heel anders tegenaan. Ze had niet verwacht dat ze zo gemakkelijk te intimideren zou zijn. Dat kon ze maar moeilijk kon verwerken. Even had ze gedacht dat ze Thomas aan zou kunnen door haar angst te verbergen, maar op dit moment lukte haar dat niet. Dat vond Elsie hoogst frustrerend. Het was om dol van te worden. Daar kwam nog bij dat ze zich stilletjes zorgen maakte om Sandra. Zou het meisje ooit helemaal te boven komen wat ze met haar vader mee had moeten maken? Kon ze ooit nog een gewone relatie hebben, zonder dat het verleden daar een schaduw over wierp? Ze wist het niet. Het zat haar vreselijk hoog. Nog altijd werd ze gekweld door hevige schuldgevoelens dat ze niets had gemerkt van wat er pal onder haar neus was gebeurd. Misschien zou zij ook wel nooit meer loskomen van die last te hebben gefaald in de bescherming van haar dochter. En dan waren er ook nog eens haar zorgen om Francine, haar bezoeken aan haar ouders die duidelijk lieten merken meer aandacht nodig te hebben. Steeds vaker kreeg ze het gevoel dat ze er zelf helemaal bij in schoot, maar wat kon ze anders? Dit was een uitputtende periode in haar leven.

Zo gleden de uren in die moeilijke nacht tergend

langzaam voorbij. Twee keer speelde ze met de gedachte om een glas wijn te nemen, of een pilletje van Bram. Nee, ze moest leren op een gezonde manier haar spanningen de baas te worden, en eindelijk eens ophouden te vluchten.

Uiteindelijk maakte ze een beker warme melk met honing, zoals haar moeder dat vroeger ook altijd al had gedaan.

Toen Sandra de volgende morgen naar school was, voelde ze zich uitgeput en rustelozer dan ooit. Over een paar weken kreeg het meisje vakantie. Ze hadden nog helemaal geen plannen gemaakt om weg te gaan. Daar had ze eerlijk gezegd ook helemaal geen zin in, maar ze zou het er toch met haar dochter over moeten hebben. Misschien wilde Sandra wel graag even bevrijd zijn van deze plek, met alle moeilijke herinneringen.

Ze was doodmoe, stelde Elsie vast. Niet alleen van de doorwaakte nacht, maar moe van binnenuit zoals ze nog nooit in haar leven was geweest. Haar gedachten bleven rondtollen. Tegen elven vluchtte ze met Merlijn het strand op, maar ze had geen plezier in de wandeling. Ten slotte belandde ze in de strandtent van Lars, die net open was. Er waren nog geen andere klanten.

'Je ziet er maar pips uit, Elsie,' zei de jongeman goedig. Hij bracht haar koffie. Hij staakte zijn schoonmaakwerkzaamheden en schoof gemoedelijk bij haar aan het tafeltje.

'Slecht geslapen,' zuchtte ze.

'Zorgen? We worden allemaal soms uit onze slaap gehouden door zorgen.'

'Wist ik maar hoe ik ze op moest lossen. Kijk, ik heb geen geldzorgen of zo, maar het zijn mijn gevoelens waarmee ik in de knoop zit. Misschien is het de leeftijd. De magische grens van veertig jaar komt in zicht.'

'Schei toch uit! Laat je niet gek maken door dat moderne gedoe van jong, jong en nog jonger. Elke leeftijd heeft zijn eigen charme, zegt mijn vader altijd. Als je gezond blijft, kun je ook als je tachtig bent van het leven genieten.'

'Je vader is een wijs man.'

'Mijn moeder is haar leven lang ziekelijk geweest. Dat is een zwaar kruis, Elsie, want daar kan een mens zo bitter weinig aan doen. Dokters doen wel graag alsof ze alle antwoorden weten, maar vaak kunnen ze maar weinig soelaas bieden. Dan moet een mens ermee leren leven, zoals dat heet. Maar pas als je iets van nabij meemaakt, besef je wat een last het is om te dragen. Dan worden alle andere dingen veel lichter.'

'Je bent een wijs man.'

'Ik mag dan pas tweeëndertig zijn, de zorgen zijn niet aan mij voorbij gegaan. Toch heb ik altijd geleerd, dat er een Hogere Macht is op wie ik mag vertrouwen.'

Ze keek hem verrast aan. 'Dat had ik nu nooit achter je gezocht.'

Hij schokschouderde. 'Ik ben geen wereldverbeteraar, ik hoef niemand van mijn gelijk te overtuigen, zoals veel fanatieke gelovigen graag willen. Het is een steunpunt in mijn leven dat ik niet graag zou willen missen, het voegt iets extra's aan mijn leven toe, iets dat voor mij persoonlijk kostbaar is.'

Ze keek hem met hernieuwde interesse aan. 'Ik ben bang dat ik soms te weinig oog heb voor de diepte van het leven.'

'Dat is de moderne tijd, Elsie. We worden doorlopend gebombardeerd met de boodschap dat het allemaal draait om uiterlijk en bezit. Voor de meeste mensen raken andere zaken dan gemakkelijk op de achtergrond. Tot het anders loopt dan je zou wensen.'

'Het klinkt allemaal, alsof jij je deel ook hebt gehad.'

'Dat is ook zo. Ik ben jong getrouwd, op mijn tweeëntwintigste, met een Turks meisje. Maar haar familie wilde mij niet. We zeggen snel dat wij blanken discrimineren, maar buitenlandse mensen doen dat evengoed. We kregen een dochtertje, maar het was niet genoeg.

Binnen twee jaar luisterde ze alleen nog maar naar haar familie. Toen zijn we gescheiden, zij trouwde met een man in Istanboel, iemand die haar familie voor haar uitgekozen had, een welgestelde weduwnaar.' Lars zuchtte. Er lag pijn in zijn ogen. 'Ik heb mijn meisje nooit meer gezien. Ik krijg geen foto van haar, en de cadeautjes die ik met haar verjaardag trouw blijf sturen, komen terug. En waarvoor? Ik heb haar nooit iets aangedaan, ik hield van haar. Ik mis die kleine, weet je. Meestal verberg ik alles goed achter een hoop bravoure. Ik ga nu eenmaal heel gemakkelijk met mensen om. Ik maak graag een grapje en het is goed voor de zaak om een beetje met de vrouwelijke klanten hier te flirten. Meer dan een lachje of een knipoog wordt het niet, hooguit een gratis borreltje en een klopje op de schouder. Maar het trekt klanten, de tent draait goed. Het is een baan die me vrijheid geeft. Elke winter ga ik een week of twee naar Istanboel, in de hoop mijn kleintje te kunnen zien. Na een jeugd waarin ik vaak voor mijn moeder moest zorgen door haar ziekte en deze bittere ervaring, stond ik open voor allerlei new age-ideeën. Daar zitten goede tussen, maar ook minder goede. Ik heb er het goede aan overgehouden, en dat is een vast geloof. Ik behoor niet tot een kerk, ik zoek naar de overeenkomsten in godsdiensten in plaats van naar verschillen. Voor mij is het toch weer het christendom geworden. Daar voel ik me het beste bij thuis. Misschien door onze culturele achtergrond. Het is een levende kracht in mijn leven geworden, waardoor ik alles dragen kan en waardoor ik verder kan gaan. Mijn moeder is inmiddels overleden, mijn vader leeft nog, en helpt graag een handje mee hier, dat weet je. Hier is hij onder de mensen. Net als ik houdt hij daarvan.'

'Ik moet zeggen dat ik nu anders naar je kijk, Lars.'

Hij glimlachte voor het eerst sinds ze hem kende een tikje verlegen. 'Ik herken het gevoel dat jij daarnet uitstraalde. Je ziet er geen gat meer in. Je denkt dat alles te veel is geworden. Maar dat is nooit zo, Elsie, er is altijd een lichtpunt. Al geef ik toe dat je er soms goed naar moet zoeken.'

Ze knikte. 'Heb je gehoord wat er vorig jaar is gebeurd?'

'Je man heeft twee meisjes aangerand en zich toen doodgereden.'

Nu hij dat zo zonder omhaal zei, schoot er een brok in haar keel, waardoor ze alleen nog maar kon knikken. Pas een volle minuut later kon ze verder gaan.

'Er was nog meer aan de hand, maar dat doet er niet toe. Mijn dochter en ik hebben een enorme schok te verwerken gekregen. En ik blijf me maar schuldig voelen.'

'Jij bent niet verantwoordelijk voor de fouten van je man.'

'Ik weet het, maar gevoel en verstand spreken soms een heel andere taal. Nu weet ik, dat jij dat begrijpt.'

'Inderdaad, dat doe ik. Kom, we drinken nog een kopje koffie. Ik zie in de verte die aardige man met dat enorme zwarte kalf aankomen.'

'Dat is Beer. Hij is een lieverd.'

'De hond of de man?'

'Allebei.'

'Hij vreet je op met zijn ogen, maar hij is natuurlijk wel een stuk ouder dan jij.'

'Beer is tweeënvijftig. Een of twee jaar geleden heeft hij zijn zaak verkocht. Financieel is hij daar goed uitgekomen, dus nu kan hij doen wat zijn hart hem ingeeft: stukjes schrijven voor een paar kranten, waarbij de inkomsten maar bijzaak zijn.'

'Jij bent omringd door schrijvende heren.'

'Praat me niet over die ander!'

'Hij is nogal opdringerig tegenover sommige vrouwelijke klanten. Die moet ik soms in bescherming nemen. Hij weet niet dat de wereld voor andere mensen uit andere dingen bestaat dan billen en borsten.'

Ze schoot onbedaarlijk in de lach.

'Je lacht weer,' stelde Lars tevreden vast, terwijl hij zijn koffie omroerde. 'Wil je er iets sterkers bij?'

'Nee, ik heb me voorgenomen daarmee drastisch te minderen. Dat is een weg die je maar liever niet te lang moet volgen.'

'Verstandig, heel verstandig. Probeer eens troost te zoeken in een boek vol wijsheid of ga mediteren. Heb je dat wel eens geprobeerd?'

Ze schudde het hoofd. 'Het lijkt me zo zinloos om maar stil te gaan zitten met je ogen dicht, of in de vlam van een kaars te gaan zitten staren.'

'Mediteren is een actieve stilte, eerst razen de gedachten door je hoofd, maar als je het vaker doet, wordt het stil en komen waardevolle dingen naar boven. Het helpt om in het begin een zin in gedachten te nemen, bijvoorbeeld een bijbeltekst. Voor gespannen mensen is het heel goed om zich te richten op Gods vrede, daar word je heel rustig van. Mij heeft het erg geholpen. Ik had de zin: 'Heer, ik stel mijn hart voor u open. Kom in mijn hart en geef mij uw vrede.' Dan stelde ik me niet een soort vader voor als het traditionele beeld waarmee ik ben opgegroeid, maar de helende, scheppende kracht die het heelal vervult en waarvan geen mens weet hoe dat er precies uitziet. De goddelijke kracht die altijd en overal is, en waar de mens zelf een beeld bij vormt dat past bij zijn cultuur en de tijd waarin hij leeft. Ik werd er rustig van en ontdekte al snel dat ik op die manier weer verder kon. Probeer het maar eens. De man die jij Beer noemt, is er nu bijna. Heet hij werkelijk zo?'

'Hij heet Peter, maar waarschijnlijk zou hij niet eens reageren als iemand hem zo aanspreekt, iedereen noemt hem Beer. Waarom dat zo is, weet ik ook niet, het stamt al uit zijn prille jeugd, heeft hij wel eens gezegd. Komt hij hier wel eens met een vrouw?'

'Met die vriendin van jou, die zo ziek is, ja.'

'Maar niemand anders?'

'Ik kan het me niet herinneren. Tikje jaloers misschien?'

Lars lachte vrolijk en stond op.

Beer keek verrast op, toen hij haar in de hoek zag zitten. 'Ik heb je niet op het strand gezien.'

'Geen fut voor een stevige wandeling na een doorwaakte nacht, maar Lars heeft mijn hele dag weer goed gemaakt.'

'Is dat zo?' vroeg de blonde reus van achter de bar.

'Absoluut.'

'Dan is mijn dag ook goed. Ooit zat ik bij de padvinderij en ik doe nog steeds graag elke dag een goede daad.' Hij grinnikte onbekommerd, alsof ze niet net een loodzwaar gesprek hadden gevoerd.

Elsie stelde verrast vast, dat ze weliswaar nog steeds moe was, maar zich lang niet meer zo aangeslagen voelde.

Bram leunde ontspannen achterover in zijn gemakkelijke leren stoel. 'Wees nu eens heel eerlijk,' raadde hij aan terwijl hij een wolk rook omhoog blies. Hij zei tegen al zijn patiënten dat roken slecht voor hen was en dat ze ermee moesten stoppen, maar zelf rookte hij nog altijd met groot plezier een pijp.

'Bedoel je, dat ik me te veel groot hou?'

'Niet dan?'

Mozes en Merlijn renden achter een balletje aan, dat Gre gedienstig keer op keer weggooide. Ze had koffie voor hen ingeschonken en luisterde toe. Ze maakte zich zorgen om zowel Sandra als Elsie. Het was voor haar een hele opluchting dat Elsie eindelijk zover was dat ze wilde praten. Ze had zich in de afgelopen tijd niet op willen dringen, en was blij dat Elsie eindelijk zover was.

'Eigenlijk had ik mezelf zo'n beetje wijs gemaakt dat het allemaal wel ging,' begon Elsie. Ze vond het moeilijk om zo eerlijk te zijn. 'Sandra doet het goed op school, ik werk bij Francine in de galerie en heb met veel plezier mijn workshops voorbereid. Zoals je weet heb ik de eerste ook al gegeven. Ik zit niet stilletjes thuis in een hoekje, ik heb er geen moeite meer mee om naar het dorp te gaan. Maar dat is slechts de ene kant van de medaille. Omdat ik liever niet te veel pilletjes gebruik, heb ik een alternatief gevonden, dat zich nu tegen me lijkt te keren. De glaasjes wijn. Ik drink elke dag minstens een fles leeg, meestal bijna twee. Het is een vlucht, Bram. Daar komt bij dat Sandra laatst volkomen overstuur thuis is gekomen omdat Joost haar nogal hartstochtelijk had benaderd. Toen bleek duidelijk, dat ze alles nog lang niet heeft verwerkt. Bij mij roept dat weer veel gevoelens op, vooral schuldgevoelens natuurlijk. Ten slotte speelt er nog iets anders, waar jullie nauwelijks iets van weten.' Ze vertelde over Thomas. Vooral Gre was ontzet.

'Iedereen weet natuurlijk dat hij nogal een overdreven belangstelling voor vrouwen heeft, maar ik had er geen idee van dat hij zich zo opdringerig tegenover jou gedraagt.'

'Voor de telefoontjes heb ik geen hard bewijs, maar toen hij met vakantie was, heb ik er niet een gehad. Het is de laatste weken wel minder geworden, zo'n drie, vier per week.'

'Het is toch geen wonder, dat het je allemaal te veel is geworden,' zei Gre. Haar stem klonk zo warm en meelevend dat Elsie er onwillekeurig tranen van in haar ogen kreeg.

'Ik moet oppassen niet alleen maar met dit alles bezig te zijn, want dan blijft er geen ruimte over voor Francine. Zij heeft me hard nodig en ook mijn ouders zouden meer aandacht van me moeten krijgen, daar vragen ze ook bedekt om. Maar ik heb steeds vaker het gevoel dat het allemaal niet meer gaat en... kennen jullie Beer eigenlijk? Ik ben zo in de war door de gevoelens die hij in me oproept. Alles bij elkaar is het een grote puinhoop in mijn leven.'

'In de eerste plaats moet je stoppen met drinken.'

'Dat had ik ook al bedacht, maar dat is moeilijker dan ik dacht.'

'Ik zal je opnieuw een kalmerend middel voorschrijven, een van de lichtste die er zijn. Dat slik je twee of drie weken, zodat je wat tot rust komt. Verder kom je twee keer per week bij ons langs, een kop koffie drinken, maar ook bijpraten hoe het gaat. In die tussentijd moet je Sandra overhalen weer naar de psycholoog te gaan.'

'Ze wil wel, maar dan een andere. Een vrouwelijke, want ze vindt het veel te gênant om met een man over de intiemste dingen te praten. Bij een vrouw zal ze zich beslist veel meer op haar gemak voelen.'

'Ik zal een vrouwelijke collega benaderen. Natuurlijk kan ik haar zeggen dat het urgent is, maar alle mensen die hulp zoeken hebben lang geaarzeld en als ze eindelijk zover zijn, is het eigenlijk altijd urgent. Nu is het het belangrijkste dat je eerst rust krijgt, dat je gezonder gaat leven en dat je je buurman duidelijk maakt dat hij je met rust moet laten.'

'Dat heb ik al eindeloos vaak geprobeerd.'

'Dan zal ik met hem praten.'

'Hoe dan?'

'Kom maar mee. Ik ga met je mee. We gaan samen.'

'Nu meteen?' Ze keek hem met grote schrikogen aan.

'Nu direct.'

Bibberend van de zenuwen ging ze naast hem in de auto zitten. Was het Beer maar geweest, die met haar meeging, dan zou ze zich prettiger hebben gevoeld, dacht ze en die gedachte bracht haar nog meer van haar stuk. Hoe verward waren haar gevoelens over Beer geworden!

Thomas was thuis. Hij zat achter zijn computer. Bevreemd keek hij naar Bram. 'Dokter. Ik hoop niet dat Elsie u heeft wijsgemaakt dat ik ziek ben.'

'Mogen we even binnenkomen?'

'Jij bent toch niet ziek, Elsie?'

'Nee Thomas, ik niet, maar jij wel.'

'Wel, daar sta ik echt van te kijken.'

'Spot er niet mee. Ik heb het over je ziekelijke manier van omgaan met seksualiteit en de manier waarop je er ons mee lastigvalt en misschien nog wel anderen ook. Heb je dan niet genoeg aan je boeken?'

'Boeken zeggen niets terug, lieve Elsie. Ga zitten, ga zitten. Wijn?'

Bram schudde resoluut het hoofd. 'Wij hoeven niets. Ik ben niet alleen Elsie's huisdokter, maar ook een goede vriend. Ik weet dat u haar lastigvalt met opdringerig gedrag en hinderlijke telefoontjes. Daar hebben ze zoveel hinder van dat Elsie er met mij over gepraat heeft. Er moet een einde aan komen.'

'Wie zegt dat ik dat doe? Bovendien, ze vindt het leuk, alle vrouwen vinden het leuk als een man belangstelling heeft, zelfs als ze dat niet willen toegeven.'

'Belangstelling is iets heel anders dan opdringerig gedrag, dat hoofdzakelijk bedoeld is om te intimideren. Dat is ziekelijk. Dat bedoelde Elsie dan ook met uw ziek zijn. Ik zou u dringend willen verzoeken u onder behandeling te stellen van een psychiater, of u anders te beperken tot vrouwen die aangeven er wel van gediend te zijn. Een gevierd schrijver als u komt vaak onder de mensen bij lezingen en andere publicitaire activiteiten, dus over belangstelling zult u niet te klagen hebben. Wat u daarmee doet, is uw zaak, maar u kunt niet blijven doorgaan met u opdringen. Uw gedrag is niet gewenst, sterker nog, het wordt als afstotend ervaren.'

Thomas keek geschrokken. 'Wat kunnen jullie overdrijven, zeg.'

'Voor jou ligt dat misschien allemaal anders, maar je bent een volwassen mens, Thomas, ik heb je al zo vaak gezegd dat ik er niet van gediend ben. Van een volwassen man mag je verwachten dat hij rekening houdt met de invloed die zijn gedrag heeft op anderen.'

'En je hebt er de dokter voor nodig om me dat te vertellen?'

'Ik heb het je al eerder verteld, maar je luistert gewoonweg niet. Bram dacht dat je het misschien wel aan wilt nemen van iemand anders.'

'Elsie heeft gelijk. Ik wil dat u beseft, meneer Ten Doorenhof, dat als het blijft voortduren, ik met Elsie naar de politie ga.'

'Daar heeft ze zelf ook al mee gedreigd, maar er is geen sprake van een misdrijf.'

'Wat u doet, heet stalken, en tegenwoordig neemt de politie daar wel degelijk notitie van. Bovendien zou ik nog een stap verder kunnen gaan. De pers zal zeker belangstelling hebben voor Elsie's verhaal.'

Eindelijk leek Thomas geschrokken te zijn. 'Ben je wel lekker, doktertje? Waar bemoei je je mee?'

'Val Elsie of Sandra niet langer lastig, dan laten wij u eveneens met rust. Kom mee, Elsie, het is het beste jullie contacten zoveel mogelijk te beperken. Ik wil u niet de les lezen, meneer, maar ik raad u wel aan om hulp te zoeken en een gezondere kijk te ontwikkelen op seksualiteit.'

Ze beefde toen ze weer buiten stonden. Weer terug bij Gre, die zolang op Merlijn had gepast, moest ze huilen, maar tegelijkertijd was ze vreemd opgelucht. Ze hoopte met heel haar hart, dat Thomas naar Bram zou luisteren. Toch bleef de twijfel in haar knagen.

16

Een week later was Thomas op de televisie met het programma waarvoor ze in en rond zijn huis opnamen waren wezen maken. Zijn overdreven belangstelling voor seks was het enige dat aan de orde kwam. Elsie keek er met walging naar. Tien minuten na afloop werd er gebeld. Eerst durfde ze niet open te doen, maar toen hoorde ze Devil blaffen. Er viel een zware last van haar schouders. Ze haastte zich naar de voordeur. 'Beer, wat kom jij nog zo laat doen?'

'Ik zag bij toeval een ranzig programma op de televisie en ik maak me sterk dat jij het ook hebt gezien.'

'Kom alsjeblieft binnen. Wat ben ik blij dat je er bent.'

Hij keek haar verrast aan. 'Je bent behoorlijk van streek.'

Ze knikte en ging hem voor. 'Wat wil je drinken?'

'Een wijntje?'

Ze aarzelde.

'Ik heb de hele dag nog geen alcohol gedronken, dus een glaasje kan geen kwaad, ook al moet ik straks nog met de auto naar huis.'

'Mijn aarzeling betreft mijzelf.' Ze schonk wijn voor hem in en nam zelf mineraalwater. Hij keek haar vragend aan. 'Wat is de reden voor die onverwachte puriteinsheid?'

'Dat vertel ik je nog wel eens. Nu eerst Thomas.' Ze vertelde dat Bram, haar goede vriend en huisdokter, er inmiddels van wist en met haar mee was geweest om Thomas een halt toe te roepen.

'Bij dergelijke mannen is het vaak zo, dat ze ermee doorgaan zolang hun slachtoffer bang is. Pas als die angst weg is en ze dus geen macht meer hebben om te manipuleren, heb je kans dat hij ermee ophoudt.'

'Dat heb ik al eens geprobeerd. Ik dacht zelfs dat ik het de baas kon, maar dat was niet zo. De enige oplossing is, denk ik nu, dat hij op een dag iemand anders vindt en zijn belangstelling voor mij verliest.'

'Wie zegt dat hij niet ook andere vrouwen lastigvalt die er al even moeilijk over praten als jij? Wie snapt iets van de duistere dingen die rondspoken in zijn zieke geest? Ik kan maar niet begrijpen, dat hij er nooit genoeg van krijgt. Hij kan zich al uiten in zijn boeken, iets dat veel mensen met een obsessie voor seksualiteit niet kunnen, hij krijgt er zelfs waardering voor in literaire kringen en mag de ranzige inhoud van zijn boeken ook nog eens uitgebreid op de televisie bespreken onder het mom van: we zijn hier toch zo modern, hier moet alles kunnen. En zelfs dan kan hij nog geen belangstelling opbrengen voor iets anders.'

'Misschien zijn er ook in zijn verleden heel vervelende gebeurtenissen geweest, dat zoiets helemaal uit de hand kon lopen.'

'Dat kan, maar het hoeft niet. Sommige mensen zijn verslaafd. Aan drank of drugs, zo ook aan seks. Dat komt voor.'

'Zou het?' Ze keek hem aarzelend aan, maar besefte dat hij gelijk had. Mensen raakten verslaafd aan zaken die voor anderen volstrekt onschuldig waren, zoals gokken of winkelen. En misschien dus ook aan seks. Ze zuchtte diep.

'Het ergste is, dat zo iemand door niets en niemand afgeremd wordt in een tijd dat alles schijnt te zijn toegestaan. Sterker nog, hij denkt er meer man door te zijn. In vroeger tijden werd alles maar onder de tafel weggemoffeld, dat was natuurlijk ook niet goed. Dat leidde ook tot excessen. Maar tegenwoordig lijken er helemaal geen grenzen meer te zijn, daarom gebeurt bij sommige mensen precies het tegenovergestelde en de gevolgen zijn eigenlijk hetzelfde.'

'Ging hij maar verhuizen,' verzuchtte ze uit de grond van haar hart. 'Of kwam dat familielid van hem maar uit het buitenland terug, zodat hij zijn huis niet langer kon verhuren.'

'Jullie wonen op zo'n unieke plek, dat Thomas niet snel uit eigen beweging zal vertrekken. Jij wilt hier toch ook niet weg. Of je leert ermee leven, hoe dan ook, of je offert deze plek op om ergens anders een huis te kopen zonder de bezwaren van hier.'

'Daar heb ik het wel eens met Sandra over gehad, dat weet je.'

'Ze zal de nare dingen niet vergeten, simpel omdat ze ergens anders woont. Bovendien, die Sandra van jou is een pienter meisje. Als het meezit, haalt ze over een jaar haar diploma. Daarna gaat ze studeren aan de universiteit, en zal ze toch het huis uit gaan.'

'Daar zie ik steeds meer tegenop, want die dag komt zo snel. Dan zal ik echt alleen zijn,' hakkelde ze verbijsterd. 'Maar je hebt gelijk. Ik moet me erop voor bereiden, zo gaan de dingen nu eenmaal. Ik zie enorm tegen die tijd op, Beer. O, wat zeg ik nu weer, waarom klinkt dat zo akelig, alsof ik alleen maar aan mezelf denk?'

'Het ouderlijk huis moet voor jonge volwassenen nog jarenlang een plek blijven waar ze zich veilig voelen en waarnaar ze graag terug keren. Tenminste, ik denk dat dat goed is. Je weet dat mijn moeder nog leeft. Ze is tachtig, maar goed gezond. Ze woont nog steeds in het huis waar ik ben opgegroeid. Ik ben al over de vijftig, maar ik ga nog altijd met plezier naar haar toe. Er zijn zoveel herinneringen bij die plek. Niet alleen goede, we hebben daar ook verdrietige dingen meegemaakt, zoals de lijdensweg van mijn vader, toen hij lymfklierkanker kreeg waar hij aan is gestorven. Het is de plek waar ik mijn broer en zus nog regelmatig ontmoet. Nog steeds is mijn moeder het cement van onze familie, nog steeds komen we er graag met Kerstmis, al mag ze van ons natuurlijk geen hele dagen meer in de keuken staan. We laten nu alles bezorgen door een cateraar. Een goed ouderlijk huis is en blijft een rustpunt in het leven, Elsie. Wat denk je waar ik naartoe ging toen mijn vrouw bij me weggegaan was? Naar mijn moeder. Als je ernstig ziek bent, wie wil je dan aan je bed? Je wilt je moeder zien. Weet je waar soldaten om schreeuwen, als ze gewond raken in de oorlog?'

Ze mocst glimlachen. 'Je moeder is beslist een schat en ze zou gloeien van trots als ze deze lofzang hoorde.'

'Ach, misschien ben ik gewoon een ouderwetse kerel. Ik kijk wel eens met gefronste wenkbrauwen naar de jonge vrouwen van nu. Hele dagen knokken voor hun eigen carrière, de kinderen in de crèche. Het kan geen kwaad, roepen de deskundigen om het hardst, maar ik heb er mijn twijfels bij. Worden moeders en kinderen daar nu echt zoveel gelukkiger van?'

'Oei oei, wat zijn we op dit punt ouderwets,' plaagde ze grinnikend.

'Welnee, het is niet goed als we alleen maar denken aan onze eigen mogelijkheden. Het is, alweer, het gevolg van een wereld waarin alles is gericht op uiterlijke, waarneembare, meetbare zaken. Er is geen dokter die liefde met een apparaatje kan meten, niemand die haat in een statistiekje kan vastleggen. En toch weten we allemaal dat het bestaat, sterker nog, dat het zo ongeveer de grootste drijfveren in het leven zijn. Je hebt gelijk, in bepaalde dingen ben ik ouderwets. Ik merk het zelf, Elsie. Jarenlang heb ik geleefd voor mijn zaak. Winst maken, de inkomsten verdubbelen, het was machtig en prachtig, maar de mens verdween achter de beurskoersen. Ik ben er ziek van geworden. Dat was toen vreselijk, maar later heb ik stiekempjes wel eens gedacht, dat het het beste is geweest, dat me kon overkomen. Nu doe ik wat ik leuk vind. Nu heb ik tijd voor dingen die belangrijk zijn. Geen kapitale villa meer, al heb ik nog steeds een aardig optrekje. Ik heb geleerd alles te relativeren, ja, mijn leven is er flink op vooruitgegaan. Al zou ik stiekempjes nog wel eens het sterke lijf van vroeger willen hebben.'

'Je vertelt me dit allemaal met een bepaald doel.'

'Natuurlijk. Je hebt heel nare dingen meegemaakt, je zit er voor een groot deel nog middenin, en er komen nieuwe dingen bij zoals die buurman van je. Maar vergeet niet wat werkelijk belangrijk is in je leven, Elsie. Je band met Sandra is belangrijker dan de plek waarop je huis is gebouwd. Niets is kostbaarder dan goede menselijke relaties. Ik investeer ook heel veel in een goede relatie met mijn zoon en mijn dochter. Niemand zal graag op een houtje bijten, dat is waar. Geld mag dan niet gelukkig maken, geen geld maakt zeker ongelukkig, zegt mijn lieve wijze moeder altijd, en die heeft krappe tijden meegemaakt toen ze pas getrouwd was.'

'Zullen we nog even met de honden naar het strand gaan, Beer? Alleen doe ik dat nooit als het donker is, maar met jou zou ik het prettig vinden.'

Het was heerlijk op het strand. Het was een warme dag geweest, niet tropisch heet, maar zo'n heerlijke Hollandse zomerdag. De zon was een uurtje geleden ondergegaan, er waren nog meer late wandelaars op het strand. Ze snoof de frisse geur van zout en wier diep in zich op. Het was prettig om naast Beer te lopen. Merlijn met zijn witgevlekte vachtje was goed te zien, maar de zwartharige Devil was in het donker moeilijker te onderscheiden. Het dier bleef bij hen in de buurt. Ze wandelden een minuut of twintig, hoofdzakelijk zwijgend.

'Wil je nog wat drinken?' vroeg Beer met een hoofdknik in de richting van de strandtent van Lars, waar het licht nog brandde. Het was pas half elf, eigenlijk nog niet zo laat. Ze aarzelde. 'Weet je Beer, ik zal heel eerlijk zijn. Sinds het overlijden van Arend heb ik al die glaasjes wijn gebruikt als een soort vervanging voor de kalmerende pilletjes die ik van Bram had gekregen. Ik heb altijd graag een glaasje wijn gedronken, maar nooit om het effect en ook nooit te veel. Dat is veranderd, en daar wil ik nu vanaf. Ik heb me voorgenomen de komende maanden maar helemaal niet meer te drinken, tot ik mijn leven weer op orde heb. Maar dat er zoveel moeilijke momenten zouden komen, wist ik niet.'

'Ik had er geen idee van, dat je daar problemen mee had, Elsie, maar ik ben blij dat je het me verteld hebt. We gaan terug naar je huis en drinken een kopje thee, goed?'

Ze waren al vlak bij Elsie's tuinhek, toen ze hem zagen lopen. Hij glunderde, kennelijk bijzonder in zijn nopjes over de manier waarop hij zich op de beeldbuis had geprofileerd. Ze zagen hoe een auto stopte, met drie mannen erin. Er werd gelachen om dubbelzinnige opmerkingen. Thomas voelde zich duidelijk gevleid. 'Hij ontleent er een gevoel van mannelijkheid aan,' zuchtte Beer hoofdschuddend. 'Moet je je er nu aan ergeren, of misschien juist medelijden met hem hebben? Hij loopt gewoon buiten om de mensen de kans te geven hem aan te spreken en te reageren.'

'Het is op zich al vreemd om er maar van uit te gaan dat iedereen naar hem heeft zitten kijken.'

Thomas' oog viel op haar. Ze zag, zelfs van deze afstand, de glans in zijn ogen. Haar hart begon te bonzen. Ze was ontegenzeggelijk bang. Zelfs met een grote kerel als Beer naast zich, was ze bang en op dat moment wist ze heel zeker dat het waar was. Thomas voelde haar angst en genoot daarvan. Het gaf hem een gevoel van macht, waarop hij kickte. Ze handelde impulsief. Ze ging dichter naast Beer lopen. 'Sla je arm om me heen, alsjeblieft. Als je het over de duivel hebt, dan trap je immers op zijn staart. Daar komt Thomas, hij zal me niet laten ontsnappen.'

Ze voelde hoe hij haar stevig tegen zich aan trok. Beer

stevende zonder de geringste aarzeling op Thomas af. 'We zagen je op de televisie.' Hij gooide meteen de knuppel in het hoenderhok. Thomas glunderde. 'Ja, publiciteit is nooit weg. Hoe vaker op de buis, hoe beter mijn boeken verkopen.'

'Is dat zo? Misschien vergaat het meer mensen net als ons: die boeken hoeven we nooit meer te lezen, want ze staan bol van de smerigheid.'

Voor het eerst sinds ze Thomas kende, stond hij met zijn mond vol tanden. Verbluft, dat was de blik waarmee hij Beer aankeek. Snel wendde hij zich tot Elsie. 'Heb jij het gezien?'

Ze knikte. 'Een klein stukje maar. Beer heeft gelijk, mensen als wij worden er een beetje onpasselijk van.'

'Ik zou niet eens over straat durven, als ik mezelf zo te kijk had gezet,' deed Beer er nog een schepje bovenop. Hij kneep vertrouwelijk in haar schouder, om aan te geven dat hij er best van genoot, Thomas een hak te zetten.

'Jullie zijn uitzonderingen. Iedereen heeft ervan genoten,' hakkelde Thomas.

'Of ze durven niet te zeggen wat ze er werkelijk van vinden. Maar op één punt heb je gelijk. De verkoopcijfers van je boeken zijn doorslaggevend. De toekomst zal leren of die zo hoog blijven als de mensen beseffen dat je als persoon niet veel verschilt van de personen in je boeken. Kom mee, Elsie, we verdoen onze tijd.'

Ze zag iets flikkeren in Thomas' ogen, ze voelde de angst als een raket omhoogschieten al stond ze zo ongeveer tegen Beer aan gekleefd. Toen dacht ze aan wat Beer had gezegd. Zolang ze haar angst voor Thomas niet definitief overwon, zou hij haar niet met rust laten. Dus verborg ze haar gevoelens. 'Als ik niet al een schutting om mijn tuin had staan, had ik die morgen neer laten zetten, Thomas. Beer heeft gelijk, als ik jou was zou ik me zo diep schamen, dat ik me in geen weken op straat zou durven laten zien.'

'Dat moet jij nodig zeggen,' viel hij uit, duidelijk op zijn tenen getrapt. 'Die man van jou...'

'Elsie is niet verantwoordelijk voor het gedrag van anderen, niet voor dat van haar man en ook niet voor dat van haar buurman,' viel Beer hem in de rede. 'Kom mee, lieverd. We verdoen onze tijd.'

'Als ik dit morgen tegen Francine vertel, lacht ze zich in een deuk,' zei ze zodra Thomas hen niet meer kon horen.

'Dan moet je dat beslist doen, want hoe vaker we Francine laten lachen, hoe beter dat is.'

'En jouw vriendin? Zal die er ook om kunnen lachen?'

'Mijn wat?'

'Je vriendin. Met pinksteren was ze in de galerie toch bij je?'

'O, Carlijn? Dat is de vrouw van mijn broer. Broerlief is niet geïnteresseerd in schilderijen, alleen maar in zeevis. Zo nu en dan komt hij een middagje vissen aan de zeedijk bij de Plompetoren en dan ga ik met mijn schoonzus winkelen of een museum bekijken, dingen waar mijn broer geen barst aan vindt.'

Hij bleef midden op de donkere oprit staan. 'Dus jij dacht... daar geloof ik niets van.'

Het was een opluchting dat het te donker was om haar blozende wangen te zien, dacht ze beschaamd en vreemd opgelucht tegelijkertijd. De gedachte aan Carlijn had haar flink dwars gezeten. Nu zag ze eens te meer in, hoe een mens onnodig leed. Ze voelde zijn arm nog even stevig om haar heen, al was Thomas in geen velden of wegen meer te bekennen.

'Francine dacht het ook,' luidde haar zwakke verweer.

'Larie. Francine kent Carlijn goed. Als ze jou wijsgemaakt heeft, dat Carlijn mijn vriendin was, had ze daar een reden voor. Een reden die zelfs ik wel snap.'

'O ja, wat dan?'

'Je bent toch niet op je achterhoofd gevallen! Ik moet nu maar het risico nemen dat ik onder dezelfde noemer val als die halfgare buurman van je, kom hier.'

Zijn mond belandde op de hare voor ze erop bedacht was. In een impuls wilde ze zich losmaken. Ze was nooit zo intiem door een andere man gezoend dan Arend. Ze was niet verliefd op Beer. Toch?

Slapen ging niet. Die hele nacht lag ze te woelen en te draaien om steeds weer terug te keren naar het moment dat ze Beer zo enthousiast terug had gezoend dat hij even later fluitend de oprit afgelopen was. Ze kon zichzelf wel voor haar kop slaan. Waarom had ze dat nu gedaan, en erger nog, waarom had ze er zo zonder terughoudendheid van genoten en dat ook aan Beer laten merken? Wat zou die zich nu allemaal wel niet in het hoofd halen? Ze durfde er wat onder te verwedden, dat hij even rusteloos in zijn bed lag te draaien als zij.

Toch was ze niet moe, toen ze de volgende morgen om half zeven opstond nadat ze pas tegen drieën in slaap was gevallen. Ze was vervuld met een energie die haar deed denken aan de tijd dat ze net twintig was.

Sandra kwam beneden. 'Tjee mam, ik durf bijna niet naar school. Iedereen zal wel gekeken hebben naar onze plaatselijke beroemdheid, gewoon uit nieuwsgierigheid. Misschien moet ik eerst bij de drogist een stapel kotszakken gaan kopen.'

'Houd je rustig. Geef Thomas geen wapen in handen door hem te laten merken dat je je over hem opwindt. We moeten hem negeren, Sandra, en als we dat niet kunnen, dan gaan we verhuizen.'

'Nee toch, mam, dat meen je niet!'

Ineens beduidde ze Sandra te gaan zitten. 'Dit is eigenlijk niet het goede moment, lieve kind, nu je zo naar school moet, maar luister. Misschien zou het verstandig zijn, voor ons allebei, om de herinneringen aan het verleden achter ons te laten en in een ander huis opnieuw te beginnen.'

Sandra schudde het hoofd. 'Deze plek is zo mooi, we

moeten hier niet weggaan. We kunnen het huis grondig laten verbouwen, dat zou ik wel graag willen. Dan richten we het helemaal opnieuw in, zodat de herinneringen aan vroeger worden uitgebannen. Ik zou wel een andere kamer willen. Weet je, ik heb er wel eens over gedacht om je te vragen of we niet een stuk aan het huis kunnen aanbouwen, een serre en een afdeling voor mij. Een kamer met een slaapkamertje en een keuken, een eigen unit waar ik op mezelf kan wonen, ook als ik straks volwassen ben. Maar ik heb het je nog niet gevraagd omdat ik niet weet of je dat zelf wilt, en ik weet niet of je zo'n dure verbouwing wel kunt betalen.'

'Beer zei, dat je over een jaar waarschijnlijk gaat studeren.'

'O ja, ik wil net als Joost arts worden.'

'Is Joost nog steeds je vriendje, Sandra?"

Ze knikte.

'Heb je geen problemen meer met wat er vroeger is gebeurd?'

'Dat wel, mam, ik heb hem in bedekte termen aangegeven dat ik een slachtoffer van incest ben. Hij heeft er helemaal niet vervelend op gereageerd. Hij was heel eerlijk. Hij zei dat hij niet wist hoe hij daarmee om moest gaan. Hij zai dat hij mij nooit zou willen kwetsen, maar hij heeft wel bepaalde verlangens. Een beetje aan me zitten, je weet wel, dat is gewoon.'

'Jullie zijn nog zo jong.'

'Ik weet wat je denkt. Het gaat wel weer uit en misschien is dat ook zo. Maar ik moet op een gezonde manier met intimiteit om leren gaan en Joost wil me daarbij helpen. Ik zeg het nu meteen als ik me niet op mijn gemak voel. Hij is heel lief en doet echt zijn best om me te helpen.'

Ze aarzelde. Was dit nu een geschikt moment om te beginnen over de pil en condooms?

Sandra begon te lachen. 'Nee, ouwe taart van me, ik zie wat je nu denkt. Daarvoor is het nog te vroeg. Als de tijd rijp is, zal ik eraan denken.'

Elsie kreeg tranen in haar ogen. 'Wat ben je toch een fijne meid. Ondanks alles wat je vader je geeft aangedaan, red je het vast in de toekomst.'

'Dat hoop ik, mam, ik zal er altijd voor knokken. Maar ik weet ook dat ik beschadigd ben en dat ik levenslang heb in die zin. Er zullen altijd momenten zijn, dat het de kop op zal steken, misschien juist wanneer ik er het minste op bedacht ben.'

Sandra viste haar rugzak op van achter de bank. 'Ik moet nu echt naar school. Misschien is het maar goed dat we geen tijd hebben dit onderwerp te veel uit te melken. Ik vind het nog altijd moeilijk om erover te praten. Nu ga ik buurman Thomas lekker belachelijk maken op school. Doei.'

Ze keek haar dochter hoofdschuddend na. Toch voelde ze zich lichter dan in lang het geval was geweest. De aangebroken fles wijn die nog in de keuken stond, goot ze leeg in de gootsteen. Ze was best trots, dat ze gisteren voor het eerst in lange tijd geen druppel wijn gedronken had. Ze zocht de flessen wijn uit haar voorraad bij elkaar en deed die in twee boodschappenkratten. Ze zette de kratten in haar auto en reed naar Francine.

'Ik wil de verleiding de deur uit hebben,' vertelde ze haar vriendin. 'Wil jij die flessen voorlopig voor me bewaren?

17

Francine knikte mat, vermande zichzelf en zei toen blij te zijn dat Elsie eindelijk inzag dat ze met haar glazen wijn op de verkeerde weg was.

'Het is een vlucht geweest,' gaf ze toe.

'Precies. Voor een poosje is het helemaal niet erg om je gevoelens te verdoven, maar op een gegeven moment moet een mens zich weer oprichten en zijn pijn onder ogen zien.' Francine begon te huilen en Elsie begreep dat haar vriendin het over zichzelf had. Ze ging naast haar zitten op de bank en sloeg een arm om haar heen. 'Vertel het me eens. Ook jij moet schoon schip maken.'

'Het gaat niet goed met me, Elsie. Ik ben zo bang. Er zijn geen concrete aanwijzingen, maar ik voel gewoon dat ik de strijd tegen de kanker zal gaan verliezen.'

'Je bent moe van alle behandelingen. Nu die afgelopen zijn, ben je verzwakt. Nu moet je gaan verwerken wat er allemaal is gebeurd.'

'Dat zegt de oncoloog ook, maar dat is het niet alleen. Het is een gevoel dat ik niet rationeel kan verklaren. Misschien is het intuïtie, ik weet het niet precies, maar mijn lichaam is niet genezen, Elsie. De ziekte is alleen maar tijdelijk onderdrukt.'

'Heb je dat tegen de oncoloog gezegd?'

Ze knikte.' Hij zegt dat alle mensen die kanker krijgen geen vertrouwen meer hebben in hun lichaam. Soms kan het lang duren voor ze het vertrouwen weer terugkrijgen.'

'Dat klinkt aanvaardbaar.'

'Natuurlijk, voor de meesten is het zo. Veel mensen genezen van kanker. Ik kan het niet uitleggen. Ik voel het gewoon zo.'

'Ben je er bang voor? Om dood te gaan, bedoel ik?'

'Ik ben voor in de veertig, ik had tot voor kort nog zoveel plannen. De tentoonstelling in New York, bijvoorbeeld. Die zal ik moeten afzeggen, ik heb gewoon de kracht niet om eraan te werken.'

'Dan gaat de tentoonstelling over. Je herstel is belangrijker dan alle roem van de wereld.'

'Ik heb er lang van gedroomd, nog eens iemand tegen te komen van wie ik zou durven houden.'

'Wie weet wat er nog mogelijk is.'

'Een tijdje hoopte ik van Beer te kunnen houden, het is zo'n aardige vent. Maar meer dan vriendschap was er niet en meer voelde hij ook niet voor mij. Ik had Sandra zo graag volwassen zien worden, zij is al jaren als een dochter voor mij, een kind dat ik zelf nooit heb gekregen. Ik kan er in ieder geval voor zorgen dat ze zonder zorgen kan studeren, straks.'

'Arend en ik hebben al jaren geleden een studieverzekering afgesloten en bovendien heb ik voldoende financiële reserves.'

'Het doet me goed dat ik tenminste goed voor haar kan zorgen... als ik er niet meer zal zijn.'

'Zeg dat niet, alsjeblieft. Ik kan je nog lang niet missen.'

'Ik jou ook niet, maar ik zal je misschien moeten achterlaten, Elsie.'

'Weet je wel zeker, dat je gevoelens je niet worden ingegeven door angst?'

Francine snoot haar neus en droogde haar tranen. 'Ik hoop het. Ik hoop uit de grond van mijn hele hart, dat ik me vergis, Elsie. Mocht het niet zo zijn, dan heb ik nog even de tijd en ik zal er vrede mee hebben. Al is mijn leven misschien maar kort, ik heb ook mooie dingen meegemaakt. Een ervan is het schilderen, maar bijna

even belangrijk is onze vriendschap.'
'Dat is het ook voor mij.'
'Goed dan. Wil je iets voor me doen?'
'Altijd.'
'Ik ben zo vreselijk moe, maar ik zou zo graag vanavond de zon in zee zien zinken.'
'We rijden naar de duinovergang en gaan bij Lars achter het glas zitten. Goed?'
'Lars is een leuke vent.'
'Precies. Een wijze vent ook. Hij heeft ook veel meegemaakt, dat weet ik inmiddels.'

De volgende dag, toen Elsie al vroeg op het strand was met Merlijn, waren haar gedachten bij Francine. Het was een avond geweest die ze niet gemakkelijk los kon laten. Francine's angstige gevoelens hadden diepe indruk gemaakt. In een impuls diepte ze de telefoon op uit haar jaszak en draaide ze het nummer van Beer. 'Gelukkig, je bent thuis. Over een kwartiertje zit ik bij Lars aan de koffie. Ik zou graag iets met je bespreken, Beer. Kun je komen?'
'Ik kom eraan. Eigenlijk had ik jou ook willen bellen. Ik was eergisteren nog even bij Francine en ik maak me zorgen om haar.'
Even was ze er stil van. 'Daar wilde ik jou ook over spreken.'
'Ik stap meteen in de auto. Tot zo.'
'Ja, tot zo."
Haar ogen gleden over het water. Er waren vissersschepen te zien in de verte. Er waren nog niet veel mensen aan het strand, de echte topdrukte zou pas over een paar weken beginnen. Ze voelde zich ondanks al het natuurschoon bedrukt. Op dat moment trof haar voor het eerst de gedachte dat ze er rekening mee moest houden, Francine te gaan verliezen. Haar beste vriendin, ze kenden elkaar zo goed alsof ze zusjes waren. Ze huiverde, al was het helemaal niet koud. Toen richtte ze haar schreden vastberaden naar de strandtent.

Lars grinnikte opgewekt. 'Kijk eens aan. Je bent er vanmorgen vroeg bij, Elsie.'

'Ik heb besloten mijn leven te beteren en voortaan elke morgen zo'n strandwandeling te gaan maken, om dan bij jou een kop koffie te komen drinken.'

'Een uitstekend voornemen. Hier.'

'Hoe staan de zaken?'

'Ik heb geen klagen. Met Pasen, het hemelvaartsweekeinde en Pinksteren is het druk geweest en we hebben ook al verscheidene mooie weekeinden gehad. Dan zit het hier bomvol, zoals je weet. Mijn vader fleurt weer op nu hij me helpen kan en dat stemt mij ook weer tevreden.'

Op dat moment kwam Beer binnen. 'Breng nog een kop koffie voor Beer, als je wilt.'

Lars knikte. 'Met appelgebak?'

'Ik niet,' liet Elsie weten. 'Appelgebak zet zo aan. Er zit al meer op mijn heupen dan me lief is.'

'Bah, die slankheidswaan! Je moet je er niet zo'n zorgen om maken. Je bent gewoon een mooie vrouw.'

'Dat ben ik nu eens roerend met je eens,' gooide Beer een duit in het zakje. 'Al die graatmagere fotomodellen geven maar een slecht voorbeeld van wat wij mannen mooi en aantrekkelijk moeten vinden.'

Hij liet het appelgebak niet staan, maar Elsie bleef standvastig. Gewoon eten, geen snoeperijen maar een stukje fruit extra en meer bewegen, zo had ze het zich voorgenomen. Ze zou heus niet de eerste de beste dag al voor de bijl gaan.

'Ik heb met het gebak minder moeite dan met de wijn,' moest ze echter toegeven toen Beer zijn gebak op had. Ze verzamelde moed om het moeilijke onderwerp aan te roeren.

Beer was echter eerder zover. Francine had zich tegenover hem in dezelfde bewoordingen uitgelaten. Allebei maakten ze zich zorgen om haar. 'Ik heb gezegd dat ik haar morgen meeneem naar de huisdokter om het te bespreken. Misschien is het inderdaad psychisch, een reactie op alles wat ze door heeft moeten maken. Natuurlijk is ze lichamelijk sterk verzwakt door de behandelingen. Dat is ze niet gewend, en daar zal ze zich best zorgen om maken. Maar ik wil dat ze zich opnieuw laat onderzoeken als er ook maar enige twijfel blijft. Desnoods vraagt ze een second opinion aan. Dat kan sowieso nooit kwaad. Ik breng haar overal naartoe.'

'Ik heb er vannacht een hele tijd van wakker gelegen. Ik wil haar niet verliezen, Beer. Ik ben bang geworden, na wat ze gisteren heeft gezegd.'

'Niets is besmettelijker dan sombere gedachten, lieverd. Probeer je daartegen te verzetten. We moeten ervoor zorgen dat Francine haar levenslust weer terugkrijgt, dat ze wil blijven vechten tegen die slopende ziekte.'

'Als ik maar wist hoe.'

'Jij moet voor alles veel naar haar luisteren, ik neem haar mee naar alle dokters die haar mogelijk kunnen helpen. En samen moeten we tijd vrijmaken om leuke dingen te doen, zodra ze daarvoor de fut heeft.'

'Gisteravond hebben we hier samen naar de zonsondergang zitten kijken. Dat vond ze zo vredig. Ik zoek daar dan gelijk iets achter, snap je?'

"Geniet van jullie samenzijn, de vertrouwelijkheid tussen jullie, maar denk niet bij alles wat ze zegt dat ze misschien al is begonnen met afscheid nemen. Dat is nog lang niet aan de orde en wij mogen ons er niet door laten meeslepen.'

Het werd een hele toer, om Francine over haar inzinking heen te helpen. Samen met Beer ging Francine naar een andere oncoloog. Ze zaten vaak op een terrasje om te genieten van de zon. Francine hield ervan om rond te toeren in Beers wagen. Ze reden door oude stadjes en ze bezochten antiekwinkeltjes, waar ze naar leuke spullen snuffelden.

Elsie's contacten met Francine waren ongemerkt anders geworden. Nu was zij duidelijk degene die de sterkste was, dacht Elsie verwonderd. Als ze zich desondanks toch zorgen maakte, was het Gre die naar haar luisterde en haar opving.

Over Thomas praatte ze niet. Ze wilde niet dat Bram zich er nog een keer mee bemoeide. Dat haalde immers niets uit. Soms vroeg Beer naar hem, maar ze zag hem nooit meer. Kennelijk was Thomas op vakantie, of misschien was hij zo aan het werk dat hij haar niet lastigviel. Ze zag hem niet, en er kwamen geen nare telefoontjes meer. Ze hoefde niet meer doorlopend op haar hoede te zijn.

De drukke vakantieweken braken aan. Als elk jaar stroomde er een golf van toeristen over het eiland heen. In die drukte voelden de oorspronkelijke bewoners zich soms vreemden in hun eigen dorp. Sommigen vonden het prettig, al die mensen, anderen keken altijd reikhalzend uit naar het moment dat al die vreemdelingen weer waren vertrokken.

Augustus kwam en omdat geen enkele dokter iets bij Francine had gevonden dat aanleiding gaf tot ongerustheid, kregen Beer en Elsie weer wat meer vertrouwen. Zelfs Francine was niet langer zo overtuigd van het feit dat ze nooit meer beter zou worden. Ze had de expositie in New York afgezegd, maar nu de zomer op zijn hoogtepunt was, begon ze weer te schilderen. Dat was het meest hoopvolle teken dat Elsie en Beer zich konden wensen.

Het was een warme dag geweest, halverwege die zomermaand. Overal waren de boeren bezig het koren te combinen. Toeristen zaten hele dagen op het strand en bezetten 's avonds de terrasjes in de dorpen. Thomas werd weer gesignaleerd en Elsie voelde de spanningen eveneens terugkeren. Op een avond stond hij bij haar voor de deur. Ze schrok zich ongans toen ze opendeed. Ze was alleen thuis, Merlijn blafte als een gek. Ze rechtte haar rug en bleef in de deur staan. 'Dat is een tijd geleden, Thomas.'

'Ik ben een paar weken in Frankrijk geweest. Een vriendin van me heeft een huisje in de Ardèche, waar ik mocht werken.'

'Ben je opgeschoten?'

'Het was heel inspirerend,' grinnikte hij. Ze wist wel wat ze zich daarbij moest voorstellen. 'Die vriendin is zeker een temperamentvol type, dat je graag gezelschap hield?'

'Hoor ik daar een jaloerse ondertoon?'

'In het geheel niet!'

'Wat is dit nu, Elsie? Moeten we de hele tijd op de stoep blijven staan?'

'Het komt nu niet gelegen, Thomas. Ik denk dat het verstandig dat wij elkaar niet onnodig voor de voeten lopen.'

'Wat bedoel je nu weer?'

'Die nare telefoontjes van je, je doorlopende toespelingen onder de gordel, al die dingen die bij mij alleen maar ergernis oproepen en bij jou zotte gedachten. Ze hebben een wig tussen ons gedreven. Het is verstandiger om afstandelijker met elkaar om te gaan. Dan hoeven we ook geen ruzie te krijgen.'

'Je zei ooit dat een goede buur beter is dan een verre vriend.'

'Dat is waar, maar over de manier waarop buren met elkaar omgaan hebben wij toch heel verschillende gedachten. Bovendien heb ik een goede vriend, die hier praktisch op de stoep woont.'

'Beer! Je hebt toch niets met die kerel? Hij weet niet wat passie is.'

'Thomas, ik ga met jou niet in discussie over wat goed voor mij is of niet. Ik weet dat zelf wel. Toe, maak het niet moeilijker dan het is. Ik gun je al het beste van de wereld, echt.' Prompt sloot ze de deur, omdat hij een stap naar voren deed. Onder geen voorwaarde wilde ze hem nog in huis hebben.

Ze schrok, toen er na twintig minuten weer gebeld

werd. Dat was Thomas die terugkwam, dacht ze, hij kon zijn nederlaag natuurlijk niet accepteren. Nee, ze deed niet open, ze had geen zin in nog zo'n discussie.

Er werd nog eens gebeld, en even later ging de telefoon. Ze nam op. 'Met Beer. Ik zie alle lichten branden en weet dus dat je thuis bent. Komt het zo slecht uit, Elsie?'

'O sorry, ben jij het. Thomas was net hier, ik dacht dat hij terug gekomen was, omdat ik nogal onbarmhartig de deur voor zijn neus heb dichtgedaan.'

'Hoera. Goed gedaan, maar ik ben absoluut ongevaarlijk, dus als je het aandurft, wil ik wel graag even binnenkomen.'

'Een momentje.'

'Het is goed van je, dat je Thomas buiten de deur hebt gehouden,' liet hij weten toen hij even later binnen was gekomen en haar wat verlegen een grote bos bloemen in de armen had gedrukt. 'Ik zie je tegenwoordig alleen als we bij Francine zijn of met haar op stap gaan, eigenlijk wilde ik vanavond nog wat werken, maar dat wilde niet lukken en toen dacht ik, kom, ik ga even bij Elsie langs. Zeg eens, begint je lieve buurman soms weer met intimideren?'

'Het wordt minder, Beer. Ik doe mijn best om hem niet te laten merken dat ik er soms bang van wordt, maar er is verbetering. De telefoontjes zijn opgehouden en ik heb hem ronduit gezegd dat ik alleen maar op afstand met hem om wil gaan. Voorlopig ben ik best trots op mezelf.'

'Dat mag je ook zijn, maar je begint mager te worden.'

'Ik ben een paar kilo afgevallen nu ik zoveel wandel en alleen nog maar mineraalwater drink.'

'Als dat je bedoeling was, mij best. Als het maar niet komt doordat je je zorgen maakt om Francine.'

'Ik behoor tot de mensen die door de zorgen juist aankomen.'

'Ja, ik ook. Echt slank zal ik nooit worden. Dat ben ik ook nooit geweest.' Hij leek niet erg onder die wetenschap te lijden.

Ze schikte de bloemen en zette de vaas neer op een tafel waarop die mooi uitkwam. Het was een zoele avond en Beer stelde voor om een poosje in de tuin te gaan zitten. 'Zet maar thee,' vroeg hij. 'Vind je het erg als ik een pijp opsteek?

'Heeft Bram je soms aangestoken?'

'Sinds het met Francine niet zo vlotten wil, rook ik weer, maar ik stop ermee zodra ze beter is.'

Ze dacht aan haar eigen glaasjes wijn en zei niets. Ze spraken niet veel, maar het was heerlijk een uurtje bij elkaar te zitten, zo vredig en vertrouwd. Ze begon Beer met de dag meer te waarderen. Soms dacht ze aan dat ene moment dat hij haar hartstocht op had weten te wekken. Misschien was het het gevolg van de afschuwelijke manier waarop haar huwelijk geëindigd was, dat ze zich niet meer durfde over te geven aan warmere gevoelens. Ze wist het niet, maar ze wist wel, dat ze het altijd fijn vond om bij Beer te zijn.

Een week later kwam Sandra op een middag huilend de galerie binnen. Een paar kijkers maakten juist aanstalten om weg te gaan, Francine lag in een hangmat in de tuin op een beschaduwd plekje en Beer was een paar dagen naar Aken voor een reportage voor de krant. Het leven was aangenaam rustig. Thomas was die morgen in de supermarkt geweest op hetzelfde tijdstip als Elsie, maar ze had alleen beleefd een paar opmerkingen gemaakt over het weer en toen hij haar aan probeerde te raken, was ze kalm langs hem heen gestapt met de mededeling dat ze aan het werk moest.

'Het is uit,' snikte het meisje verdrietig.

'Met Joost?'

'Ja mam, hij kon zich soms maar moeilijk beheersen. Hij kon het niet langer verdragen dat ik altijd verstijf van schrik als hij even iets verder wil gaan. Hij begrijpt het niet zo goed als ik had gehoopt.'

'Joost is net als jij nog jong en eigenlijk vind ik dat hij veel begrip heeft opgebracht voor een moeilijke situatie, maar van zijn kant is het ook wel te begrijpen dat hij denkt aan meer, lieverd.'

'Vind je hem dan niet zelfzuchtig?'

'Ik denk dat hij zijn best doet, maar je kunt niet het onmogelijke van hem verwachten.'

'Gaat het ooit nog over, mam? Kan ik ooit nog een normaal leven leiden?'

'Natuurlijk wel. Het kost alleen tijd, meer tijd dan je nu hebt gehad. Als Joost het niet begrijpt of niet langer geduld kan opbrengen, is dat jammer, maar dan komt er in de toekomst iemand die dat wel kan. Daar moet je maar aan denken.'

Het werd al snel duidelijk dat het einde van haar verkering de beroemde druppel was die de emmer deed overlopen. Sandra zat in de dagen daarop diep in de put. Dat gevoel ging niet over, zoals Elsie had verwacht. Sandra leek nog dieper weg te zinken in het akelige moeras van een depressie. Een week later sleepte Elsie haar daarom mee naar Bram.

18

Sandra bleef depressief en daarom volgde ook voor Elsie een tijd die weer moeilijker was.

Soms dacht ze dat er geen einde kwam aan steeds nieuwe problemen. Dan moest ze heel goed oppassen om niet ontmoedigd te raken. Op zo'n moment snakte ze hartstochtelijk naar een glas wijn, maar ze bleef sterk en weerstond die bijna onbedwingbare drang. Wel gingen de spanningen vastzitten in haar nek en schouders en in overleg met Bram maakte ze een afspraak met een fysiotherapeut. De massages namen de oorzaak niet weg, maar brachten wel voor even verlichting. Een enkele keer stond ze in de supermarkt dralend voor het schap met wijn. Maar dan kwam ze tot zichzelf en haastte zich gauw verder.

Zo ging augustus over in september. De zomerdrukte nam snel af. Het was heerlijk weer, in de eerste helft van die maand. Elke morgen liep Elsie met de hond over het strand, en genoot altijd weer van het natuurschoon. Op dit uur van de dag was ze ontspannen omdat ze Thomas niet zou tegenkomen. Ze dacht aan Sandra, die nu aan haar laatste jaar begon op het gymnasium. Ze had het er steeds vaker over dat ze op kamers zou gaan wonen. Inmiddels wist ze dat ze medicijnen ging studeren, het liefst in Rotterdam, maar ze moest afwachten of ze daar inderdaad een plaatsje zou krijgen.

Lars verwelkomde Elsie elke dag na haar wandeling. Vaak kwam hij bij haar zitten als er geen andere klanten waren. Ze vond hem een sympathieke jongeman. Net als Elsie was hij door de negatieve ervaringen in het leven een beetje bang om een nieuwe relatie aan te gaan. Flirten ging hem goed af, hij ging heel gemakkelijk om met alle meisjes en vrouwen die in de vakantietijd zo gemakkelijk onder de indruk kwamen van zijn rijzige gestalte en zijn op de schouders vallende blonde haren, maar onder de oppervlakte bleef de leegte, vertrouwde hij Elsie toe.

Ze hadden serieuze gesprekken met elkaar, en vaak stak ze hem een hart onder de riem door hem te verzekeren dat hij zijn dochtertje nog wel eens te zien zou krijgen en ook de ware vrouw vast nog eens tegen het lijf zou lopen, misschien wel juist omdat hij die niet te hard zocht.

Op een donkere dag, die de weersomslag aankondigde en de zomer definitief zou verjagen, stond Elsie voor het eerst in vele weken weer op de weegschaal. Tot haar verrassing was ze al een paar kilo afgevallen. Dat kwam doordat ze geen wijn meer dronk en veel wandelde, dacht ze tevreden. Haar zelfdiscipline had een onverwacht resultaat opgeleverd. Ze merkte ook dat haar conditie verbeterde, nu ze elk dag een stevige wandeling maakte. En omdat ze zich beter voelde, had ze meer zelfvertrouwen en kreeg ze ook meer plezier in het leven.

Beer kwam terug van een vakantie in Spanje met zijn oude moeder. Ze had hem vreselijk gemist, maar durfde dat niet te laten blijken. Ze was blij weer op zijn steun terug te kunnen vallen, want toen hij weg was voelde ze zich vaak ongemakkelijk op de uren dat ze Thomas tegen het lijf kon lopen. Ze kon zich ook nooit ontspannen als Sandra thuis moest komen, uit angst dat hij het meisje weer aan zou spreken en ze opnieuw angstig zou worden. Het zou goed zijn als ze volgend jaar op kamers ging, maar o, wat zou ze haar kind missen!

Met Francine ging het intussen minder goed. Het leek wel alsof ze alle hoop verloor. Ze was onverklaarbaar moe. Ondanks herhaaldelijke onderzoeken kwamen de doktoren er maar niet achter wat er nu precies mis was. Al vrij snel werd haar klachten als 'psychisch' beschouwd. Dat zat Francine helemaal niet lekker.

Op die sombere septemberdag zou de galerie voor het laatst geopend zijn. Daarna zouden ze overstappen op de wintertijden zoals Francine die altijd had gehad: alleen open op zaterdagmiddag en op afspraak. Elsie runde nu in feite de galerie, Francine schilderde de laatste tijd nog maar zelden. Zelfs als ze werd meegenomen door Beer en Elsie, werd ze alleen maar moe van het uitstapje.

'Dat is niet goed,' vertrouwde ze Elsie op die septemberdag toe. 'Als het psychisch was, zou ik juist me beter moeten gaan voelen als ik eropuit ga met zulke lieve vrienden als jullie. Ik ben zo door en door moe, Elsie. Ik snap niet, dat ze niets kunnen vinden. Het is zo frustrerend dat ze zeggen dat het psychisch is. Daar kun je je als patiënt nooit tegen verdedigen. Bewijs maar eens dat het niet psychisch is. Een mens heeft daar nooit een weerwoord op en juist daarom zeggen artsen dat zo vaak, als je het mij vraagt.' Ze zuchtte. 'Je zou er depressief van worden als je aldoor maar gezegd wordt dat het tussen de oren zit, terwijl je er zelf van overtuigd bent dat er in je lijf iets niet klopt.'

Bram onderzocht haar nogmaals, maar hij kon niets bijzonders vinden. Ook een uitgebreid bloedonderzoek en een nieuwe scan brachten niets verontrustends aan het licht. Francine probeerde zich erbij neer te leggen dat het inderdaad psychisch was en deed een poging de draad van haar leven weer op te pakken. Schilderen ging niet meer. Om afleiding te hebben vroeg ze Elsie haar iets te leren over astrologie. Met liefde legde Elsie de astrologische principes uit.

'Kun je zien, of ik weer ziek word?' was op een gegeven moment de bijna onvermijdelijke vraag.

'Er zijn genoeg astrologen die zeggen van wel, maar

ik kijk daar niet naar. Ik denk dat dat niet de bedoeling is. Een mens moet open in het leven staan, en nemen wat er komt aan vreugde en verdriet. Ik kan natuurlijk zien of je een moeilijke periode gaat krijgen, of dat er juist sprake zal zijn van ontspanning. Maar ik vind het verstandiger om dat niet te doen."

'Dus er is toch iets waar van astrologie?'

'Absoluut. Als dat niet zo was, zou ik er mijn tijd mee verdoen. We leven in een wereld die erg gericht is op materiële bewijzen, maar op veel levensterreinen is het onmogelijk die bewijzen te leveren.'

'O ja, daar kom je weer met de stelling, dat liefde en haat met geen metertje vast te leggen zijn.'

'Precies. Kom op, Francine, positief denken helpt meer dan gesnuffel in een horoscoop. Je hebt een vreselijk zware periode meegemaakt. Rust ervan uit. Als je lichaam aangeeft moe te zijn, is het misschien de bedoeling dat je meer rust neemt.'

'Maar ik ben officieel genezen verklaard.'

'Elk mens is nu eenmaal anders, wat de dokter ook zegt. Chemotherapie en bestralingen zijn ingrijpende behandelingen.'

Toch deelde Elsie haar zorgen wel met Beer.

'Ik heb je gemist,' zei ze tegen hem toen hij haar kwam opzoeken na zijn vakantie.

'Ik jou ook.'

'Heb je het naar je zin gehad?'

Hij haalde zijn schouders op. 'Ik heb me gericht op mijn moeder. Ze heeft ervan genoten, maar ze heeft natuurlijk een andere manier van leven en andere interesses dan ik. Ik heb haar regelmatig bij een bejaardenbingo achtergelaten om zelf oudheidkundige monumenten te gaan bekijken, dus ik ben beslist wel aan mijn trekken gekomen, hoor.'

'Het is lief dat je zoiets voor je moeder doet.'

'Ze wilde dit altijd al, maar alleen durfde ze niet goed. Ze is ook niet meer zo goed ter been, maar ze is eigenlijk nog te goed voor het bejaardenhuis. Ik heb al verschillende keren geprobeerd haar meer bij mij in de buurt te krijgen, maar ze wil niet weg uit haar oude, vertrouwde omgeving. Ze wil niet in een bejaardentehuis waar ze de mensen niet verstaat, zegt ze. En ik moet zeggen, dat die Zeeuwen onder elkaar voor een buitenstaander inderdaad nauwelijks te volgen zijn. Maar hoe gaat het met jou, Elsie? Dat heeft me zo beziggehouden.'

'Ik maak me meer zorgen over Francine dan ik durf te laten blijken.'

'Ik ook, maar ik vroeg naar jou.'

Ze bloosde. 'Ik drink niet meer, dat heb ik al die weken volgehouden, ik wandel elke dag op het strand en toen je weg was vond ik het weer akelig om naar buiten te gaan als ik Thomas tegen kon komen. Hij beheerst mijn leven nog steeds meer dan ik wil toegeven. Al hou ik me groot en laat ik niets meer merken, van binnen ben ik nog steeds bang voor hem.'

'Geen telefoontjes meer gehad?'

'Dat niet, gelukkig. Maar Sandra heeft hij in die weken nog twee keer aangesproken. Ook al vertelt ze mij daar niets over, omdat ze mij wil sparen. Maar ik merk het direct. Ik zie het aan haar ogen. Dan denkt ze weer aan de tijd dat haar vader haar... O Beer, hoe kan het leven ineens zo dichtgeslibd raken door zoveel problemen tegelijk? Soms denk ik dat ik aan het eind van mijn krachten ben. Dan sta ik ineens in de supermarkt weer voor het schap met wijn.'

Nu had ze hem toch bekend waar ze zich in haar hart zo voor schaamde.

'En dan?'

'Dan loop ik weer hard door.'

'Goed zo.'

'Je geeft me een complimentje terwijl ik me er zo voor schaam.'

'Jij hebt het niet gemakkelijk. Zoals Francine haar

ziekte moet verwerken, moet jij het verlies van je man verwerken en meer nog het verlies van het vertrouwen dat je altijd in hem hebt gesteld. Daar komen je zorgen om Sandra nog bij, je schuldgevoelens omdat je niet zag wat je volgens jezelf had moeten zien. En dan zijn er nog je ouders die niet gezond meer zijn en ook nog eens, als druppel die de emmer doet overlopen, een oversekste buurman. Naar mijn mening ben jij gebouwd van schokbeton, lieve kind. Je houdt je geweldig staande en dat beetje zwakte, mag het, alsjeblieft? Je bent ook maar een mens.'

Ze bloosde ervan. 'Je woorden doen me een wereld van goed.'

'Mooi zo. Vergeet niet, dat ze voor honderd procent waar zijn! Ik kan niet anders dan vaststellen dat je een geweldige vrouw bent.'

'Ik heb veel steun aan jou.'

Nu was hij degene die bloosde. 'Ik zou heel wat meer willen zijn dan je steun en toeverlaat, maar ik weet ook, dat jij daar nog niet rijp voor bent. Ik heb je vreselijk gemist, Elsie. Al maanden doe ik mijn best het voor me te houden en mezelf niet aan je op te dringen, maar nu zeg ik het je toch. Wees niet bang. Ik ben heel anders dan je buurman. Ik kan me doorgaans uitstekend beheersen.'

Ze wist niet goed hoe ze moest reageren op deze onverwachte wending in het gesprek. Ze had hem ook gemist, dat zeker, veel meer zelfs dan ze voor mogelijk had gehouden. Sterker nog, ze was een beetje verliefd op hem, maar ze was bang geworden voor die kant van het leven, daar kon ze niet meer spontaan mee omgaan. Hij zag haar verlegenheid aan voor afwijzing. De kleur verdween weer van zijn wangen. Hij deed weer een stap bij haar vandaan, ze zag het, voelde het, en was niet bij machte die letterlijk én figuurlijk grotere afstand te overbruggen. Ze waren er allebei ongelukkig onder.

Ze bracht het gesprek terug op Francine. 'Ik begin

bang te worden dat ze gelijk krijgt. Menselijke intuïtie is soms veel betrouwbaarder dan welke onderzoeken in een ziekenhuis ook, Beer. Het zit me niet lekker. Laat ik me nu aansteken door haar angsten, of gaat het werkelijk niet goed met haar? Ik kan er soms vreselijk over tobben.'

'Mij vergaat het net zo. Ik wil er niet aan toegeven, houd mezelf voor dat ze een mentale terugslag heeft, maar ik maak me toch zorgen. Ze voelt het zelf zo scherp aan. Ze moet binnenkort weer voor controle naar het ziekenhuis en ik zal meegaan om nogmaals aan te dringen op meer onderzoeken. Misschien zien ze toch iets over het hoofd.'

Het was niet meer nodig. Een week later belde Francine Elsie overstuur op. Ze had een knobbel in haar hals. 'Ik kom eraan,' reageerde Elsie meteen met angstig kloppend hart.

In haar auto belde ze Beer. 'Heeft Francine jou gebeld?'

'Nee. Wat is er?'

'Ze heeft een knobbel in haar hals. Ze is helemaal over de rooie.'

'O nee! En jij?'

'Ik ben onderweg en neem haar mee naar Bram.'

'Is die niet op zijn ronde?'

'Kom je, Beer? Ik heb je nodig.'

'Ik kom meteen.'

Het was waar, stelde ze verbijsterd vast. Ik heb hem nodig. Ze belde het nummer van Bram en kreeg Gre aan de lijn. Bram was inderdaad zijn ronde aan het doen, maar Gre zou hem meteen bellen. 'Maak je niet te veel zorgen, Elsie. Het kan ook onschuldig zijn.'

'Ze zegt zelf al weken dat er iets niet klopt, Gre. Ik heb er een vervelend gevoel over, ik kan het echt niet helpen.'

'Pas een beetje op jezelf, Elsie.'

'Ik kom later vandaag nog even bij je langs. Mag dat?'

'Altijd, dat weet je.'
'Je bent een vrouw uit duizenden, Gre.'
Peinzend reed ze verder. Hoewel Francine haar beste vriendin was en dat ook zou blijven, wist ze wel dat zij in het leven van haar vroegere werkgeefster een grotere rol vervulde dan Gre dat deed in haar leven. Gre had geen hartsvriendin zoals zij en Francine hartsvriendinnen waren. Als Francine er ooit niet meer zou zijn... Gre zou zonder meer klaarstaan om die lege plaats op te vullen. Ze had dat al een hele tijd geweten, maar op dat moment was het een warm en veilig gevoel. Ze zou Gre meer bij haar leven moeten betrekken. Arend was ze kwijt en straks zou Sandra op eigen benen staan, hoe het met Francine zou gaan... Op dat moment deelde ze de bange voorgevoelens van haar vriendin. Hoe het de komende tijd ook zou gaan, Beer was in haar leven gekomen en Gre zou een grotere plaats krijgen. Ze had haar workshops en als ze wilde, zou ze een bescheiden praktijkje kunnen starten om de mensen te helpen met een horoscoopanalyse. Ze kon nog wat aanvullende lessen volgen en praktiserend lid kunnen worden van de vakvereniging. Het leven was nog zo vol mogelijkheden. Ze was veertig. Ze had misschien nog haar halve leven voor zich.
Er volgden spannende dagen. Bram kwam en wist Francine een beetje te kalmeren, Beer reed met haar naar het ziekenhuis, waar ze nog dezelfde dag terecht kon voor een nieuw onderzoek. Daarna volgden vreselijke dagen van wachten op de uitslag.
Elsie vergat haar zorgen en angsten om Sandra en Thomas door deze nieuwe ontwikkelingen. Ze wandelde nog steeds elke morgen met Merlijn, en deelde haar angsten met Lars, die goed kon luisteren. Hij wist haar zelfs een beetje op te monteren.
Thomas had kennelijk gehoord dat het minder goed ging met Francine, want hij belde op. Hij noemde gewoon zijn naam, maar toch voelde Elsie zich onzeker.

'Ik heb gehoord dat je vriendin weer ziek is, Elsie. In het dorp wordt over bijna niets anders meer gepraat. Ik wil alleen maar zeggen dat je een beetje op jezelf moet passen. Wil je niet een keer bij me komen eten, bij wijze van verzetje?'

Ze rilde. Nee, daar voelde ze niets voor. Misschien deed ze hem onrecht. Ze wilde nu eenmaal het liefst het goede in de mensen zien. Ze vroeg zich voor de zoveelste keer af of ze zich misschien toch in Thomas vergiste. Kon hij niet geholpen worden door een goede psychiater? Van alle verslavingen kon een mens genezen, dus misschien ook van een verslaving aan seks. Ze wist het niet. Maar ze had momenteel haar handen meer dan vol aan het leven, Thomas moest het zelf maar uitzoeken.

'Ik ga zo nu en dan met Beer op stap, Thomas. Hij biedt me genoeg verzetjes. Niettemin bedankt voor je aanbod,' weerde ze af.

'Die saaie kerel, ik snap niet wat je zo in hem boeit.'

'Betrouwbaarheid misschien?' Ze beet op haar lip. Niet reageren. Afstand bewaren. Niet tenietdoen wat je de laatste tijd zo zorgvuldig hebt opgebouwd. Thomas heeft geen plaats meer in je leven, houd hem er dan ook buiten. Als hij je aandacht weer heeft, begint hij opnieuw met zijn dubieuze spelletjes. Dat is nu eenmaal zijn aard. Dat zal nooit veranderen. Ze wist het zeker. Zodra hij vaste grond onder de voeten kreeg bij haar, zou hij weer met haar naar bed willen, zou hij Sandra weer lastig gaan vallen en zat ze weer midden in de problemen die ze nu juist met zoveel zorg en beleid had proberen te overwinnen.

De volgende middag wandelde ze met Merlijn naar de supermarkt, diep in gedachten omdat Sandra en Joost toch weer contact hadden en alles dus veel serieuzer was dan zich een jaar geleden liet aanzien. In de winkel werd ze vaak aangesproken. De mensen wilden allemaal weten of het waar was, dat de kanker weer de kop op had gestoken bij haar vriendin. Ze moest zeggen dat het inderdaad mogelijk was, maar dat er nog geen uitslag was van de laatste onderzoeken en dat het volgens de dokter evengoed iets onschuldigs kon zijn.

Ze was moe, toen ze naar huis terugliep. Straks zou ze lekker in een warm bad gaan liggen, beloofde ze zichzelf, en voor vanavond zou ze een pizza laten bezorgen, zodat ze niet hoefde te koken. Ze zuchtte diep. Merlijn kwispelde vrolijk, om zijn vrouwtje wat te troosten.

Ze was zo diep in gedachten, dat ze ongemerkt het dorp uit gelopen was en in de richting van Beers huis ging, langs de grote grasvlakte waarop een paar zweefvliegtuigjes stonden. Als vanzelf zocht ze warmte en steun bij Beer. Op dat moment wist ze heel zeker dat ze ongemerkt van hem was gaan houden. Als alles weer goed ging met Francine, zou ze hem dat duidelijk moeten maken. Ze voelde zich er een beetje ongemakkelijk bij, als ze daaraan dacht, maar Beer zou begrijpen dat ze het moeilijk vond. Hij zou haar helpen. Het zou verkeerd zijn als ze door haar verleden afgesneden bleef van een gelukkige toekomst. Hij hield ook van haar, daar twijfelde ze geen moment aan. Ze zouden moeten knokken samen, maar ze konden misschien toch een mooie toekomst tegemoet gaan. Ze kon het zich haast niet voorstellen op dat moment. Alle zorgen die ze had om Francine, om Sandra en eigenlijk ook wel een beetje om zichzelf. Ze had weer zo naar een paar glazen wijn verlangd, daarnet. Ze zuchtte en keek bevreemd op, toen de auto van Thomas ineens naast haar stopte.

'Ben je misschien verdwaald? Je kunt wel met mij meerijden, hoor.'

Ze schrok op. 'Ik was diep in gedachten.'

'Over je vriendin?'

Ze haalde haar schouders op. 'Ik ga koffiedrinken bij Beer.'

'Ach nee, die saaie kerel. Kom mee, ik breng je wel, naar huis of zelfs naar Beer als je dat zo graag wilt.'

'Ik loop liever, Thomas.'

'Er zijn kanten aan jou, die ik nooit zal begrijpen. Weet je wel hoe mooi je eruitziet, nu je rok opwaait in de wind?'

Daar ging hij weer! Nee, Thomas veranderde niet, nu niet en nooit niet. 'Ik ga weer. Dag Thomas.'

Ze liep verder. Hij trok op en stopte weer vlak naast haar. Voor ze erop bedacht was, stond hij naast haar en duwde haar de auto in. 'Je ontloopt me en dat ben ik zat,' hij trok al op voor ze van haar schrik bekomen was. Merlijn jankte, en kroop bibberend tegen Elsie aan. Ze hield haar hondje stevig vast. Hij reed snel. Veel te snel. Haar hart begon zwaar te bonzen. 'Wat ben je eigenlijk van plan?'

'De tijd van oermensen die hun vrouwen de grot in sleepten als ze seks wilden, is voorbij. Helaas. Ik wil met je praten en je vooral even vasthouden, om die ijskorst om je heen te doen smelten. Ik wil met je naar bed en jij wilt dat even graag als ik, dus help ik je nu om die beslissing te forceren.'

'Je bent gek geworden!'

'Niet ik, maar jij.'

Ze naderden een stoplicht. Het sprong op rood. Hij vloekte. Even was ze bang dat hij door zou rijden, maar er kwam juist een andere auto aan, dus moest hij afremmen en stoppen. Meteen was ze de auto uit. Ze hoorde hem roepen, maar ze rende naar de dichtstbijzijnde winkel en vluchtte die in. Daar haalde ze de telefoon uit haar jaszak om Beer te bellen. Ze zou geen stap meer buiten zetten voor Beer haar kwam halen.

19

Elsie liet de telefoon overgaan. Beer nam niet op. Wel klonk het bekende 'ik ben nu even niet te bereiken'. Elsie beet op haar lip. Als ze bij Beer was geweest, had ze dus mooi voor niets aan de bel getrokken. Ze zuchtte. Voorzichtig keek ze naar buiten. Thomas' auto stond aan de overkant geparkeerd. Hij stond op zijn gemak tegen het portier geleund, net als andere mannen konden doen als ze voor een winkel wachtten terwijl hun partner een boodschapje deed.

De verkoopster sprak Elsie aan met de vraag of ze kon worden geholpen. Stuntelend koos ze een tijdschrift uit, waarna ze vroeg of de verkoopster haar misschien het telefoonnummer van het dichtstbijzijnde taxibedrijf kon geven. Dat kon. Elsie belde en de beloofde taxi zou er met een paar minuten zijn. De verkoopster knoopte een gesprek aan over Merlijn, die zoals altijd vrolijk kwispelde als hij werd geaaid.

Thomas stond nog steeds bij zijn eigen wagen toen de taxi kwam. De chauffeur kwam binnen. Het was een potige vrouw van middelbare leeftijd. Elsie knikte. 'De man aan de overkant viel me lastig, ik wil graag snel instappen voor hij me aan kan spreken. Kan dat?'

'Ik sta voor de deur, mevrouw. Wij rijden weg voor hij achter het stuur zit.'

'Dank u voor het begrip.'

'Er lopen veel rare klanten rond. Ik ken die man wel. Er gaan verhalen over hem, en niet alleen als hij weer met die tronie van hem op de beeldbuis verschijnt. Mijn zus runt een café, moet u weten, en meneer Ten Doorenhof presteert het om daar hinderlijk aan vrouwelijke klanten te zitten.'

Elsie glimlachte vaag. Ze vertelde hoe hij haar en haar dochter steeds maar lastigviel. Ze wist nu in ieder geval dat Thomas niet alleen achter haar aan zat, omdat ze er nog zo goed uitzag voor een bijna veertigjarige. Mannen als Thomas ging het om de jacht, om hun gevoel van mannelijkheid als ze een 'verovering' hadden. Wat liefde was, daarvan had hij geen idee, veronderstelde ze. Hij vond bevestiging in zijn mannelijkheid door het veroveren van vrouwen, of het nu ging om een kus of om een totale verovering voor een nacht. Daar was hij op uit. En natuurlijk ook op macht, het gevoel dat hij anderen kon laten doen wat hij wilde. Dat was de grond van het hele lastigvallen van Sandra en haarzelf. Het ergste was dat er niet tegen die mannen kon worden opgetreden. Hij zorgde er wel voor, niet zover te gaan dat hij problemen kreeg met de politie. Wat dat betreft was hij slimmer dan Arend. Eerlijker misschien ook, want hij draaide er nooit omheen waar het hem om ging, terwijl Arend stiekem... Ze slaakte een diepe zucht.

Toen de taxi wegreed, zag ze hoe Thomas haar met open mond nakeek voordat hij haastig instapte.

'Hij komt u achterna, mevrouw.'

'Dat is niet erg. Ik wil naar huis. Hij woont naast me.'

In een mum van tijd was ze thuis. De taxi stopte pal voor haar hek. Ze rekende af terwijl Thomas doorreed naar zijn eigen huis. 'Klaar ben je, met zo'n buurman. Die man denkt zeker dat we allemaal als was worden, enkel en alleen omdat hij bekend is door zijn boeken.'

Elsie glimlachte zo neutraal mogelijk, bang als ze was dat er nog heel wat gepraat zou worden over deze taxirit. Ze praatte niet vaak haar mond voorbij, maar nu was dat door de zenuwen van het moment duidelijk wel het geval geweest.

'Misschien heb ik het allemaal een beetje overdreven,'

mompelde ze een zwakke verontschuldiging.

'Nee mevrouw, ik hoor te vaak gelijkluidende verhalen over dat heerschap. De mensen hier kennen zijn reputatie ondertussen allemaal. Hoe lang woont hij hier nu? Een jaartje? Een man met zulk gedrag staat altijd bloot aan roddel en achterklap. Dat heeft hij enkel en alleen aan zichzelf te danken. U hoeft zich nergens voor te schamen, hoor.' Na een moederlijk knikje stapte de vrouw in de taxi en reed weg. Elsie snelde de veiligheid van haar huis binnen, omdat Thomas misschien op de gedachte zou komen om te vragen wat dat nu allemaal voor had moeten stellen.

Ze draaide de kraan van het bad open. Sandra was er niet. Ze was alleen. Terwijl het bad volliep probeerde ze nogmaals Beer te bereiken, maar nog steeds lukte dat niet. Nu sprak ze een boodschap in. 'Met Elsie. Je lijkt wel van de aardbodem verdwenen, maar als je er weer bent, bel dan even terug. Ik maak me zo'n zorgen om Francine, ik wil graag even mijn hart luchten.'

Even later liet ze zich in het behaaglijk warme water zakken met een flinke scheut van haar favoriete badolie erin. Ze hoorde de bel gaan. Thomas, wist ze. Wel, ze deed lekker niet open! Een paar minuten later ging de telefoon. Ze had hem naast het bad gelegd voor het geval dat Beer terug zou bellen. Even aarzelde ze. Toen nam ze toch maar op.

'Met Thomas. Wat moest dat nu allemaal voorstellen, Elsie?'

'Ik moet de vraag omdraaien. Wat moest jouw gedrag eigenlijk voorstellen? Als je denkt dat ik een van die vrouwen ben die je zonder enig respect kunt behandelen, dan heb je het goed mis.'

'Ik snap het niet. Een taxi! Als je mij had gevraagd om je thuis te brengen, dan had ik dat toch gedaan?'

'Heb je te veel gedronken, beste buurman? Of heb je alleen maar een bord voor je kop? De manier waarop jij met vrouwen omgaat, vervult me met afkeer en ik maak je nu voor eens en voor altijd duidelijk dat ik het niet pik om op die manier behandeld te worden.'

Ze verbrak de verbinding. Ziezo! Dat voelde goed. Ze sloot haar ogen en leunde in het warme water achterover. Een paar minuten later ging de bel weer. Zo, was Thomas met opgestoken veren teruggekomen? Nu, dan kon hij lang wachten. Toen vervolgens de telefoon ging, schoot ze bijna in de lach. Wat voelde ze zich sterk, nu ze hem te slim af was geweest en zich niet had laten kisten door de angst die ze ontegenzeggelijk had gevoeld toen ze als een haas die toeristenwinkel was binnengevlucht.

Ze nam opnieuw op. 'Ik lig in bad en doe niet open,' beet ze de toehoorder toe.

'Je hebt nog gelijk ook,' bromde echter de gemoedelijke stem van Beer. 'Ik zou ook niet open doen als ik in bad lag.'

Ze zat meteen overeind. 'O, ben jij het. Waar ben je?'

'Op jouw stoep. Ik luisterde in de auto mijn boodschappen af en begreep dat je wilde praten over Francine. Ik zit ook in spanning over de uitslag van morgen.'

'Wacht even Beer, ik droog me af en schiet in mijn kamerjas. Heb je een momentje?'

'Ik wel, hoor.'

Ze kwam uit het water en droogde zich haastig, veel te haastig, af. Ze schoot in haar nieuwe kanten slip en beha, beide prachtig rookgrijs gekleurd, en daarna trok ze de lange kamerjas aan die zo lekker zat. Zo haastte ze zich de trap af en zwaaide de deur open. Wat voor indruk dat gaf, las ze prompt uit Beers blik. O nee, ze had de tijd moeten nemen zich behoorlijk aan te kleden! Nu, dan moest ze dat alsnog doen.

'Wil je koffie of iets anders? Ik moet me even aankleden en...'

Hij stapte naar binnen en kon haar nog net bij de punt van de ceintuur pakken, toen ze er als een haas vandoor wilde gaan. Er zat slechts een halve knoop in. Hij had de kamerjas voor de helft in zijn handen.

Ze schrokken allebei om het hardst. 'Dit was niet de bedoeling, Elsie,' hakkelde hij als een vijftienjarige schooljongen, maar zijn blik deed haar sterk denken aan die van Thomas, nog niet eens zo lang geleden.

Ze wist niet hoe snel ze de ceintuur stevig vast moest knopen. 'Ga vast zitten, ik zet zo koffie maar ik wil me eerst aankleden.'

'Ik zet ondertussen wel koffie. Mijn handen staan niet verkeerd voor koffie, zoals je weet. Neem je tijd.'

De spanning ebde weg door dit alledaagse gebabbel. Ze haastte zich naar boven, deed de kamerjas uit, keek nog even naar zichzelf in haar nieuwe lingeriesetje en giechelde toen vrolijk. Wel, wat Beer te zien had gekregen was iets waarvoor ze zich niet hoefde te schamen. Ze kwam tot de verbijsterende ontdekking, dat ze ervan genoten had dat hij zo naar haar keek. Hoofdschuddend trok ze een spijkerbroek aan en een t-shirt met een ruime overhemdblouse erover. Ziezo, ze was weer degelijk ingepakt. Snel een beetje oogschaduw en een vleugje lippenstift. Ze rook de koffie al toen ze naar beneden ging. Zenuwachtig was ze niet meer. Begrijpen deed ze het niet, maar ze voelde zich ineens uiterst plezierig.

'Dat ruikt lekker.'

Hij knikte. De gewone bezigheden hadden ook hem zijn zelfvertrouwen teruggegeven. 'Je wilde over Francine praten?'

'Ja, maar eerst het volgende.' Ze vertelde hem over haar ontmoeting met Thomas en de taxirit naar huis, nog geen uur geleden.

'Het spijt me, dat wist ik niet.'

'Ik was te voet op weg naar jou toe, eerlijk gezegd. Het hoeft je niet te spijten, Beer, jij hebt nu eenmaal je bezigheden. Ik ben best trots op mezelf over de manier waarop ik dit akelige voorval heb weten op te lossen, maar ik heb zo het angstige vermoeden dat mevrouw de chauffeur dit voorval met smaak door zal vertellen aan die zus met haar café en dan kan het nog wel even blijven rondgaan.'

'Daar zal Thomas meer last van hebben dan jij. Eigenlijk mogen we hopen dat er zoveel over hem geroddeld wordt, dat het zelfs tot door zijn olifantenhuid heen dringt, dat hij hard bezig is zich onmogelijk te maken in onze kleine leefgemeenschap.'

Ze knikte. Ze nam een slok koffie. Ze zat op de bank, maar Beer was in een stoel weggekropen, een veilig eind bij haar uit de buurt. De telefoon ging opnieuw. Ditmaal was het Sandra die vertelde dat ze bij Joost zat te studeren en van zijn moeder mee mocht blijven eten.

'Sandra komt niet thuis.'

'Wil je nog even langs Francine? Of zal ik opbellen om te vragen hoe het nu met haar is?'

'Straks. Laat me eerst mijn hart luchten. Ze was nogal overstuur, vanmorgen. Bram heeft haar iets kalmerends gegeven. De spanning over de uitslag is natuurlijk ondraaglijk, dat voel ik ook. Ik wil haar zo graag steunen. Tegelijkertijd voel ik me machteloos omdat ik zelf even bang ben.' Nu keek ze Beer aan met een hulpeloze blik. Vergeten was de spanning van even tevoren. Hij was weer de warme man die bijna broederlijke gevoelens in haar opriep. Hij stond op en schoof naast haar op de bank. Een arm kroop om haar heen en ze leunde vertrouwelijk tegen hem aan. 'Ik heb hetzelfde, Elsie. We stoppen het weg, omdat we het niet willen geloven. Helaas is de bittere waarheid, dat als iemand voor kanker is behandeld en er opnieuw symptomen komen, de vooruitzichten heel wat minder rooskleurig zijn als de eerste keer.'

'Dus jij bent ook bang dat het fout zit?'

'Ja Elsie, heel eerlijk gezegd, ik ben erg bang dat de uitslag inderdaad niet goed zal zijn.' Hij trok haar tegen zich aan, legde zijn wang op haar kruin. Ze sloot haar ogen en minutenlang zaten ze zo bij elkaar. De telefoon die vandaag al zo vaak over was gegaan, stoorde hen opnieuw. Nu was het Francine zelf.

'Elsie, ik heb diep na zitten denken over wat de toekomst me mogelijk zal brengen. Nee, laat me uitpraten. Ik heb alles nuchter op een rijtje gezet. Morgen ga ik naar het ziekenhuis, en de uitslag zal niet goed zijn. Ik weet dat gewoon, ik zeg het immers al een hele tijd. Ik heb besloten volgende week mijn zaken goed te gaan regelen en moet daarvoor ook naar de notaris. Ik heb zojuist een afspraak gemaakt. Het getuigt alleen maar van gezond verstand om dat te doen. We hebben het er al eens over gehad hoe ik het geregeld wil hebben. Ik krijg misschien een nieuwe zware operatie of andere chemokuren. Ik zal er minder goed tegen bestand zijn dan de eerste keer, daar ben ik zeker van. Voor ik te veel aftakel, wil ik dat alles goed geregeld is. Wil jij met me meegaan, morgen? Beer rijdt ons, maar ik ben zo bang. Ik heb je nodig.'

'Misschien valt het nog mee. Luister, Beer is hier, hij komt je halen en vannacht blijf je bij mij slapen, dan ben ik er als je me nodig hebt. Nee, sputter maar niet tegen. Ik kan het hebben, hoor. Jij hebt het zwaarste te dragen, maar ik ben blij dat ik je mag steunen. Beer is er zo.'

Zijn blik stond donker. 'Weer een stap, die we haar liever niet zouden zien zetten.'

'Dat van de notaris? Ze heeft natuurlijk gelijk dat het verstandig is, maar het zou niet nodig moeten zijn.'

'Het is goedbeschouwd voor iedereen nodig, want jij en ik kunnen een ongeluk krijgen of wat dan ook. Het leven is nooit zeker, Elsie.'

Ze knikte. 'Het is ook veel te kort, vind je niet?'

'Soms. De tijd lijkt kort, als we de zaken op zijn beloop laten en de tijd voorbij laten gaan die we op een andere manier door hadden kunnen brengen. Kom je binnenkort alsjeblieft eens bij mij eten, Elsie? Devil is al een poosje alleen en ik moet dus naar huis, zoals je begrijpt. Ik zal eerst Francine halen en bij jou afleveren.

Vanzelfsprekend gaan wij beiden morgen met haar mee.'

Ze knikte. Ineens voelde ze zich rustig en tevreden. Ze hield van Beer. Eindelijk werd haar dat duidelijk en viel de laatste twijfel weg. Ze ging binnenkort inderdaad een keer bij hem eten, hij en zij samen zonder de donkere wolk van zorgen om Francine, die nu alles beheerste. Misschien viel de uitslag morgen toch mee.

De uitslag viel helemaal niet mee. Opnieuw moest Francine door de hel van de chemokuren. Het werd een zware tijd voor hen allemaal. Vaak verlangde Elsie naar de troost van wijn, maar ze bleef sterk en ze groeide langzaam maar zeker steeds dichter naar Beer toe. Hun persoonlijke verlangens waren echter door de laatste ontwikkelingen voorlopig naar de achtergrond gedrongen.

Sandra blokte hard, ze hoorde van haar moeder over het bezoek dat zij met Francine aan de notaris had gebracht en was diep onder de indruk.

Beer en Elsie hadden de eerste tijd geen gelegenheid voor het etentje waarover ze gesproken hadden. Maar na het verwerken van de eerste schok was het Francine zelf die hen ervan doordrong, dat hun leven doorging, ondanks de druk van haar ziekte die opnieuw de kop had opgestoken.

De honden hadden dolle pret en ploegden samen genoeglijk de tuin om. Het eten was heerlijk. Elsie en Beer leunden glimlachend achterover op de bank, terwijl ze naar het kattekwaad van hun harige lievelingen keken. 'Een zanderige tuin is nu eenmaal een onweerstaanbare uitdaging voor een hond,' zuchtte Elsie. Merlijn was een enthousiast graver en druk doende er een kuil bij te maken.

'Mijn tuin bevat geen kostbare struiken. Meestal zit Devil in de ren. Eigenlijk moesten we dit niet goed vinden, want ze ruïneren alles, maar het is zo leuk om ze samen bezig te zien, niet?'

Ze knikte. Hij zat dicht naast haar. Ze voelde zich vredig, ondanks de erotische spanning die tussen hen merkbaar was, een spanning die in niets te vergelijken was met de spanningen die Thomas zo vaak had opgeroepen. Haar buurman leek inmiddels een nieuw slachtoffer te hebben gevonden. Ze sprak hem nauwelijks meer, hij belde niet meer op en dook al evenmin vlak voor haar op als ze in het donker de hond uitliet. Dat was een enorme opluchting voor haar en langzamerhand verloor ze haar angst voor zijn intimiderende gedrag. Ze had van Sandra gehoord dat hij een nieuwe vriendin had, die in een café achter de bar stond, een ordinair type dat daarom misschien juist goed bij hem zou passen, een jonge vrouw nog. Nee, ze wilde niet meer aan Thomas denken, net als Arend behoorde hij tot het verleden. Nu moest ze zich richten op de toekomst. Ze wierp een tersluikse blik op de man naast haar, die haar glimlachend aan had zitten kijken bij haar overpeinzingen.

Ze glimlachte naar hem en ze keken weer naar de honden. Op een onverwacht moment was zijn gezicht ineens heel dicht bij het hare. Er lag een veelzeggende blik in zijn ogen. Ze bloosde.

'Hebben we nu lang genoeg om de hete brij heen gedraaid, denk je? Je weet toch, dat ik al vanaf het begin van je hou?' fluisterde hij. Zijn stem verried dat hij aangedaan was, dat hij zijn uiterste best deed om zijn emoties onder controle te houden.

Ondanks zichzelf schrok ze. Hij zag het. Zijn blik versomberde en hij schoof bij haar vandaan. 'Zeg maar niets meer. Ik weet het. Ik ben een goede vriend, niet meer en niet minder. Wat jij voelt voor mij, zou je voor je broer kunnen voelen. Het spijt me, Elsie. Het komt door dat beeld van weken geleden, toen jij je haastte om uit bad te komen en half aangekleed aan de deur verscheen. Herinner je je het nog? Dat beeld blijft maar op mijn netvlies branden.'

'Beer, ik ben er huiverig voor om me weer te binden. Het heeft niet eens met jou te maken, het komt door alles wat ik heb meegemaakt met Arend en daarna met Thomas. Ik schrik ervoor terug en steeds als ik denk, dat ik ook iets voor jou voel, dan word ik bang.'

'Ik begrijp het. Ik probeer al een hele tijd de nodige afstand te bewaren, tot je me gaat vertrouwen, maar er zijn momenten, dat dat vertrouwen me gestolen kan worden. Ik ben gewoon een kerel van vlees en bloed. Het spijt me, Elsie. Ik kan het niet helpen, maar het gebeurt gewoon. Misschien is het verstandiger als ik een poosje meer afstand van je neem. Misschien moeten we elkaar een tijdje niet zien.'

'Zelfs als ik dat zou willen, kan het niet. Francine heeft ons nodig, ons allebei, en wij hebben elkaar nodig om steun en troost bij te zoeken nu het allemaal zo bedreigend verloopt en we helemaal niet weten wat we nog moeten verwachten. Beer, die angst van mij is door Arend en Thomas en alles wat er in het laatste jaar gebeurd is, heel diep gaan zitten. Je kent me al een tijd, je weet hoe moeilijk het allemaal is geweest. Maar het lijkt beter toch te gaan, met Sandra, met Thomas nu ik me niet meer door hem laat beheersen, ik rouw niet om Arend, de schok is verwerkt, voor zover dat kan, al blijven de littekens. Mijn schuldgevoelens zijn niet weg. Nog steeds verwijt ik mezelf, dat ik niet gemerkt heb wat Arend met Sandra deed, maar ik voel me intussen wel gesterkt doordat ik nu weet dat dat veel moeders overkomt, van wie het kind is misbruikt. Als ik erop terugkijk, zie ik dat ik een heel zwaar jaar heb gehad, maar mag ik best trots zijn op de manier waarop ik ermee om ben gegaan. Dat ik zoveel moeilijkheden het hoofd heb kunnen bieden, heeft me sterker gemaakt. Ik geef toe dat ik een tijdlang vluchtgedrag vertoond, door te veel wijn te drinken, maar ook dat heb ik nu weer in de hand. Al een hele tijd drink ik nauwelijks nog iets en de behoefte om dat weer te doen heb ik niet zo vaak meer. De ziekte van Francine drukt natuurlijk op mij, maar ook op jou. Ik ben eindelijk zover dat ik mezelf weer helder in de ogen durf te kijken, Beer, en dat geldt ook voor mijn gevoelens voor jou. Ik heb ze vroeger vooral weggedrukt omdat ze angst in me opriepen. Dat doen ze nog steeds in zekere zin, dat merkte ik die keer waar je net op doelde, toen je... zo... naar me keek. Maar zou je me misschien willen helpen om de angst te overwinnen, in plaats van me steeds te ontzien?'

Hij glimlachte verrast. Er brak iets door bij hem en de spanning gleed van zijn gezicht. 'Meen je dat?'

'Ik wil niets liever dan van je houden. Beer, maar ik heb er je hulp bij nodig om dat te durven.'

Ze hief haar gezicht naar hem op. De honden verschenen hijgend voor de glazen schuifpui. 'We hebben bekijks,' grinnikte hij voor hij zich verder voorover boog. Ze sloot haar ogen en gaf zich over aan zijn kus.

De bel ging. 'Wie kan dat nu zijn?' mompelde ze slaperig. Ze keek op de klok op het nachtkastje. Half twaalf. Beer ging zitten. 'Zal ik gaan kijken? Misschien is het Francine.'

'Dat lijkt me niet waarschijnlijk. Wacht maar, ik ga wel.'

Ze was al uit bed. Even keek ze nog naar Beer en de grijze haren op zijn blote borst. Toen grinnikte ze. Gisteren was ze braaf naar huis gegaan, maar vanmiddag was hij teruggekomen, ze waren met Francine een eindje wezen rijden om haar wat afleiding te bezorgen en daarna... Ze glimlachte. De laatste spoken waren verdreven. Ze was gelukkig en deze man bleek ongelooflijk teder te zijn. Ze ontdekte dingen die ze bij Arend had gemist. De toekomst lachte hen tegemoet, tenminste, als Francine....

Diep in gedachten had ze haar kamerjas aangetrokken, was ze de trap afgegaan en deed ze de deur open.

'Thomas?' Ze keek de man op de stoep ongelovig aan.

Haar stem moest boven duidelijk te horen zijn.

'De avond is nog maar net begonnen. Lag je al op bed, lieverd?'

Hij wilde binnenkomen, maar ze hield de deur stevig vast. 'Het spijt me, maar ik kan je niet binnenlaten.'

'Waarom niet? Luister, meisje, laat me je nu eens verwennen zoals alleen een geroutineerd man als ik dat kan. Ik wil dat al zo lang, dat weet je, maar je ontloopt me aldoor. Luister,' hij deed opnieuw een stap naar voren.

Ze keek hem kil aan. 'Volgens zeggen heb je een nieuwe vriendin. Ga naar haar toe als de nood hoog is, maar laat mij met rust. Ik heb er nooit behoefte aan gehad om iets met jou te beginnen en zal dat in de toekomst nooit hebben ook.' Elsie voelde hoe Beer achter haar kwam staan. Zelfs voor een blind paard moest de situatie meer dan duidelijk zijn, dacht ze plotseling geamuseerd. 'Thomas, het is beter dat je ophoudt met me lastigvallen. Dat heb ik al zo vaak gezegd. Het zal je duidelijk zijn dat ik inmiddels weer gelukkig ben.'

'Dat kan niet. Met een saaie kerel als hij? Kom nu, Elsie, jij hebt meer pit, weet je wel wat je mist? Ik...'

'Genoeg. Thomas, ik zal je één ding duidelijk zeggen. Jij verschijnt graag met die kop van je op de televisie, maar wat jij kan, kan ik ook. Er zijn tegenwoordig allerlei praatshows, ik kan zonder enig probleem mijn verhaal kwijt, over de oversekste buurman die zowel mij als mijn dochter lastig blijft vallen. Er zijn hordes vrouwen die dat verhaal graag zullen onderschrijven. Laat het dus gezegd zijn. De volgende keer dat je me lastigvalt, zal ík op de televisie verschijnen. Als de politie niets doet tegen opdringerig gedrag, kan ik er in ieder geval voor zorgen dat er bekendheid aan gegeven wordt. En nu voor de laatste keer: Beer is een man waar jij in de verste verte niet aan kan tippen. Ik hoop dat je snel verhuist. Goedenavond.'

Ze gooide de deur voor zijn neus dicht en kreeg prompt de slappe lach.

'Jij weet nog eens hoe je het zelfvertrouwen van kerels

op moet vijzelen,' mompelde Beer, terwijl hij haar hand vastpakte en haar resoluut de trap op trok, terug naar de slaapkamer. Giechelend volgde ze hem.

20

Het was een akelige, donkere dag in november, ongeveer een jaar later. Huiverend in de kille miezerregen volgde Elsie de witte kist. Beer liep naast haar, Sandra aan de andere kant. Joost achter hen. Francine's moeder was een half jaar geleden onverwacht aan een hartstilstand gestorven, zodat ze de laatste aftakeling van haar dochter niet meer mee had gemaakt. Achter het viertal liep een grote, bonte stoet mensen. In een flits dacht Elsie zelfs Thomas tussen hen te ontwaren.

Francine had eindelijk haar laatste strijd gestreden.

Het was een zwaar jaar geweest. Al snel was duidelijk dat de kanker terug was, en zich had uitgezaaid. Francine had nog meer chemokuren gehad, maar zonder het gewenste resultaat. Al rond Pasen was duidelijk geworden dat er een wonder zou moeten gebeuren om Francine's leven te redden. Een wonder dat niet gekomen was.

Een maand daarvoor waren Elsie en Beer in alle stilte getrouwd, zodat Francine nog sterk genoeg was om getuige te zijn bij hun huwelijk. Het was een bitterzoete dag geworden.

Beers moeder was een schat. Ze zat eindelijk in een aanleunwoning, vlak bij hen in de buurt. Thomas had eieren voor zijn geld gekozen en had nu een huis gehuurd op Mallorca. Naast Elsie was een jong stel komen wonen. De jongeman had een veeleisende baan als managementconsultant. De nieuwe buren waren er niet vaak, want ze bezaten ook nog een appartement aan een van Amsterdams mooie grachten.

Thomas had vol ongeloof gereageerd toen Elsie met Beer was gaan samenwonen. Hij scheen maar niet te kunnen bevatten dat ze nooit iets in hem had gezien en een andere man boven hem verkoos. Vermoedelijk was dat een belangrijke reden geweest dat hij ten slotte was vertrokken, meer nog dan de steeds hoger oplopende achterklap over hem.

Eerst waren Beer en Elsie in het huis van Beer getrokken en toen ze ervan overtuigd waren de rest van hun leven samen door te willen brengen, was de vraag aan de orde gekomen waar ze zouden gaan wonen. Ze hadden een architect aangetrokken om Elsie's huis grondig te verbouwen, zodat de herinneringen aan vroeger volkomen verdwenen en ze toch op die prachtige plek in de duinen konden blijven wonen. Er was een grote serre aangebouwd, en een appartement voor Sandra, een nieuwe keuken en als toppunt van luxe, een jacuzzi in de serre. 's Zomers konden de glazen wanden open en lagen ze zo ongeveer in de tuin in het bruisende ruime bad, zo onder de sterren. Het had hun al menig romantisch moment opgeleverd. Beer had zijn huis snel kunnen verkopen. Sandra was geslaagd voor het gymnasium en had zelfs de begeerde studieplaats in Rotterdam bemachtigd. Joost was in Leiden medicijnen gaan studeren. Het was nog steeds aan tussen die twee, soms verbleven ze samen in Sandra's appartement, dat ook als gastenverblijf kon worden gebruikt.

Als het met Francine goed was gegaan, zouden ze een prachtig jaar hebben gehad. Helaas was de jonge vrouw al kort na hun huwelijk helemaal opgegeven. De galerie werd voorgoed gesloten. De nog onverkochte schilderijen zouden later naar Sandra gaan. In de zomer was Francine zo zwak geweest dat Beer haar de trap op had gedragen, het strand op, om achter het glas op het terras van Lars' strandtent van de zon en de zee te genieten zolang het nog kon. Lars liep nu ook tussen de bonte stoet mensen achter hen. Er waren veel kunstenaars en veel dorpelingen onder hen. Bram en Gre liepen vlakbij. Ze ving Gre's blik op. Ze waren naar elkaar toegegroeid, de twee vriendinnen. Als Elsie het moeilijk had met de vergeefse strijd van Francine, was ze steeds vaker naar Gre toegegaan. Haar beste vriendin was gestorven, maar ze had haar band met Gre, die steviger was geworden door alles wat ze had meegemaakt. Ondanks alle verdriet kon ze uitkijken naar de toekomst.

De witte kist verdween in de diepte, toegedekt met vele rode rozen, die de bezoekers op de kist gooiden toen ze langs het graf liepen. Francine had niet veel familie, alleen een paar nichten die zich nauwelijks iets van haar hadden aangetrokken toen ze ziek was, maar nu uitkeken naar wat de notaris hun te vertellen zou hebben. Wel, dat zou ze niet meevallen.

Haar hand voelde koud aan in die van Beer.

Terug in de aula leek Elsie versteend te zijn van de kou. De warme koffie deed haar goed. Het was druk. Als Francine dit nog had kunnen zien, zou ze erop neergekeken hebben met de wijze glimlach die ze aan het einde van haar leven vaak om haar lippen had gehad, meende Elsie. Ze had er tegen het einde vrede mee gekregen dat haar leven maar kort mocht duren. Op het laatst was de pijn zo erg geweest, dat ze zelfs naar de dood had verlangd. Het had allemaal langer geduurd dan ze wilde, maar van euthanasie wilde ze niet weten. Beer en Elsie waren er nauw bij betrokken geweest. Iemand zoveel pijn te zien lijden, was iets dat ze nooit zouden vergeten.

Bij het condoleren stond Thomas ineens voor hen. Hij was in gezelschap van een jonge vrouw, hooguit vijf jaar ouder dan Sandra, met een dikke laag make-up en veel te uitdagende kleren voor een begrafenis. 'Dit is Eva, mijn nieuwe vriendin, een even groot verleidster als de beroemde eerste vrouw naar wie ze genoemd is.'

Ze hadden geen zin in zijn steekspelletjes. Dus knikte Elsie kortaf. 'Het is aardig van je dat je de moeite hebt

genomen om afscheid van Francine te nemen, Thomas.'
'O, we waren toch in de buurt. Er moesten nieuwe televisieopnamen worden gemaakt over mijn werk en daar hoort deze streek ook bij.'
'Ik ben blij dat het zo goed gaat,' mompelde ze. Hij zweeg erover dat zijn oplagen nogal waren gekelderd, de laatste tijd. Maar Elsie was daarvan op de hoogte. Kennelijk kreeg men genoeg van zijn ordinaire manier van schrijven; ten slotte raakten mensen verzadigd van zoveel vunzigheid en was er weer een ander die een beerput wist open te trekken, op net een andere manier.
Carlijn, de schoonzus van Beer, was ook gekomen. Ze was stil en nadenkend, ze had twee weken geleden de uitslag gekregen van een uitstrijkje, dat onrustige cellen vertoonde en nu moest er een stukje weefsel worden weggehaald. Voor Carlijn was dit daarom een extra zware dag. Elsie was blij met haar schoonzus, ze konden goed met elkaar overweg. Ze probeerde Carlijn te steunen waar ze kon, maar de gang naar Francine's graf was zwaar geweest.
Eindelijk kwam er een einde aan de stroom mensen. Een uur later kwamen ze thuis. Sandra ging naar haar appartement en draaide net als vroeger luide muziek. Elsie was doodmoe.
'Ga jij in de jacuzzi liggen, dan maak ik een vers kopje thee voor je,' stelde Beer voor. 'Gewoon even nergens aan denken, liefste.'
'Nu is ze weg. Ik zal haar nooit meer zien. Ik mis haar nu al, Beer.'
'Ze zal altijd een leegte in ons leven achterlaten, maar we moeten weer verder, meisje. Net als we na alle andere moeilijkheden verder moesten.'
'Ik weet het, ik doe mijn best.'
'Je hoeft niet aldoor zo dapper te zijn. Natuurlijk mag je haar missen. Natuurlijk mag je om haar huilen, je bent zo flink geweest de laatste dagen. Het is ook goed om zwak te zijn.'

Ze knikte en ging naar boven om een badpak aan te trekken. Even later zakte ze in het warme, bruisende water. Ze ontspande langzaam. De tranen kwamen eindelijk tevoorschijn en vermengden zich met het water. De grote spanning van de laatste weken vloeide langzaam weg. Merlijn snuffelde aan de rand van de badkuip, Devil keek verlangend naar buiten en ineens verscheen een kwispelende Mozes naast zijn broertje. Verrast keek Elsie op. Gre keek haar een beetje onzeker aan. 'Ik weet niet of ik gelegen kom, maar ik wil zo graag weten of het goed met je gaat.'

'Kom erbij liggen. Boven is nog wel een badpak, dat Beer voor je zal pakken.'

'Bram heeft een zware bevalling van een tweeling,' zei Gre tien minuten later. Beer nam de drie honden mee naar het strand. Het was heerlijk stil.

'Ik mis haar zo, Gre.'

'Ik weet het. Jullie waren als zussen voor elkaar.'

'Ja, zo was het,' knikte Elsie. 'Weet je, dat ze alles aan Sandra nalaat? Haar doeken zijn momenteel heel wat waard, haar huis is onbelast... Sandra kan zonder zorgen studeren en op haar gemak beslissen of ze het huis van Francine aan wil houden als pied à terre of dat ze het verkoopt om ergens anders iets voor zichzelf te kopen.'

'Is het nog steeds aan met Joost?'

Elsie knikte. 'Ze slikt zelfs de pil. Ik ben zo opgelucht, dat ze redelijk ongeschonden is gebleven na de afschuwelijke dingen die ze heeft meegemaakt, Gre.'

'Incest laat altijd sporen na, soms levenslang. Maar ze heeft zich kranig geweerd, die dochter van jou.'

'Juist daardoor kan ik mijn schuldgevoel eindelijk een plaats geven, al zullen ze nooit meer helemaal verdwijnen.'

'Kun je het niet loslaten?'

'Nee, dat niet, maar het heeft een plaatsje gekregen waarmee ik kan leven.

'Ik zit ook ergens mee. Bram is niet in orde, Elsie. Hij heeft al een paar aanvallen gehad van angina pectoris.'

Ze schrok. 'O Gre, ben jij nu aan de beurt?'

'Kennelijk. Hij is al bij de cardioloog geweest en ondergaat een serie onderzoeken. We zijn bezig een vervanger te vinden voor de praktijk, mocht dat nodig zijn. Het liefst zou Bram een jonge arts erbij nemen, zodat hij een stapje terug kan doen.'

'Hoe lang is dat al aan de gang?'

'Een week of drie, ik wilde je er niet mee lastigvallen. Je had al zoveel te verstouwen.'

Ze pakte de hand van Gre, zag de tranen in haar ogen. Op dat moment wist ze, dat Francine's plaats weliswaar nooit opgevuld kon worden, maar dat er een ander was, die de leegte die Francine had achtergelaten zou opvullen, al was het op een heel andere manier.

Het leven was rijker dan ze had kunnen vermoeden. Misschien juist omdat ze zoveel narigheid had meegemaakt.

Kon het waar zijn? En hoe zou Sandra het vinden?

Elsie stond voor de spiegel en keek naar haar nog platte buikje. Was ze niet te oud? Als het kindje geboren werd, zou ze immers tweeënveertig zijn. Ach, er waren tegenwoordig zoveel vrouwen die op late leeftijd nog moeder werden.

Nooit had ze kunnen bevroeden dat haar pijn van vele jaren geleden, dat ze nooit zelf een kind onder haar hart had kunnen dragen, alsnog zou verdwijnen. Toen ze met Arend getrouwd was en ze kinderloos bleven, waren er natuurlijk onderzoeken geweest. Hij was verminderd vruchtbaar, zij had een verstopte eileider. Het zou in hun geval moeilijker zijn om een kind te krijgen, maar onmogelijk was het zeker niet. Toch was er nooit een zwangerschap ontstaan en nu...

'Als het een dochter wordt, noemen we haar Francine,' vertrouwde ze Beer toe. Beer was de koning te rijk met zijn aanstaande vaderschap op deze leeftijd. Zijn volwassen kinderen vonden het eerder grappig. Hij sportte en deed weer een poging om af te vallen, want hij wilde in goede gezondheid minstens tachtig worden, liet hij weten, om zijn jongste spruit volwassen te zien worden. De cardioloog, waar hij nog een maal per jaar voor controle kwam, was uitermate tevreden over de verloren kilo's.

Het was een moeilijke winter geweest na Francine's heengaan en Sandra's vertrek naar Rotterdam. Die leegte kon zelfs door haar huwelijk, hoe gelukkig ook, niet helemaal worden opgevuld.

Maar nu groeide er nieuw leven in haar en kijk, buiten waren de eerste zwaluwen in de lucht te zien.

Elsie liep de tuin in. Bij het tuinhuis, waar ze een terras hadden, stond ze stil en keek ze over zee. Er was vrede in haar hart. Er was een geluk zoals ze misschien nooit eerder had gevoeld, een gerijpt geluk nadat ze veel verdriet had meegemaakt. Het was anders dan vroeger, heel anders.

Ineens gingen haar gedachten terug naar één bepaalde dag, alweer een paar jaar geleden. Toen had ze ook hier gestaan, met een geluksgevoel dat deed denken aan wat ze nu voelde. Het was de dag voordat Arend van zijn bed werd gelicht en alle rampspoed was begonnen, rampspoed die ze niet aan had zien komen en waarop ze in het geheel niet voorbereid was geweest. Even schudde ze het hoofd. Ze moest zich geen muizenissen in het hoofd halen. Toen was het het begin geweest van die zware periode, nu zou het misschien wel het einde zijn. Na een zware periode dacht een mens altijd dat er meer moeilijkheden zouden komen, nu moest ze erop vertrouwen dat het leven weer mooi was geworden en dat ook wel een tijdje zou blijven.

Ze voelde dat er een arm om haar schouder schoof. 'Je huivert. Is het niet te koud voor je?'

'Ik dacht terug aan de dag voordat Arend werd opgepakt, Beer. Toen stond ik hier ook. Toen voelde ik me ook gelukkig en tevreden met het leven. Daarom rilde ik. Er was toch weer even die angst om gelukkig te zijn, ik ben nog altijd bang dat er ook nu wel weer iets akeligs zal gaan gebeuren.'

Hij knikte. Hij begreep het. Een mens verloor soms zijn vertrouwen in de dingen. Hij had dat ook gehad, in de tijd dat hij net gescheiden was en een hartinfarct had gehad. Het was soms moeilijk om weer gewoon gelukkig te durven zijn. Hij trok Elsie warm tegen zich aan.

'Het is realistisch om te denken, dat we ook in de toekomst ons deel van de narigheid zullen krijgen, Elsie. Dat is altijd zo. Maar we mogen er ook op vertrouwen dat we deze zware periode goed zijn doorgekomen en dat we daarom opgewassen zijn tegen alles wat de toekomst nog voor ons in petto heeft. We hebben elkaar. Dat is het belangrijkste.'

Ze draaide zich om en nestelde zich warm aan zijn brede borst. 'Je hebt gelijk. We hebben elkaar. Net als de golven op het strand daar beneden komen en gaan, zo is het ook met de dingen die in het leven gebeuren. O Beer, ik ben zo blij met jou.'

Ze hief haar gezicht op voor een warme kus.